BONJOUR À VOUS
QUE LE BONHEUR
SOIT AVEC VOUS

MERCI
DE ME
LIRE

Recueil d'événements au sein de l'espace

Damien Larocque

Recueil d'événements au sein de l'espace

Science-fiction

Les Éditions Belle Feuille

Catalogage avant publication de Bibliothèque et Archives
nationales du Québec et Bibliothèque et Archives Canada

Larocque, Damien, 1953-
    Recueil d'événements au sein de l'espace
    ISBN 978-2-923959-49-8
    I. Titre.
PS8623.A762R42 2012   C843'.6
C2012-941624-X
PS9623.A762R42 2012

Infographie des pages couvertures et intérieures : Yvon Beaudin
Révision et correction : Josyanne Doucet
Mise en page : Marcel Debel et Yvon Beaudin
Conception de la page couverture : Yvon Beaudin
Imprimeur : Marquis imprimeur

La maison d'édition désire remercier tous les collaborateurs à cette publication.

Les Éditions Belle Feuille
68, chemin Saint-André
Saint-Jean-sur-Richelieu (Québec)
J2W 2H6
Téléphone : 450 348-1681
Courriel : marceldebel@videotron.ca
www.livresdebel.com

Distribution :
Bayard Novalis Distribution   Ginette Saindon : 514 844-2111 poste 247
4475, rue Frontenac,
Montréal (Québec)
H2H 2S2

Dépôt légal
Bibliothèque et Archives nationales du Québec—2012
Bibliothèque et Archives Canada—2012

Imprimé au Québec

À tous ceux qui aiment voyager
à l'extérieur de la réalité...

Damien Larocque

Suite à son premier recueil de poésie, **Damien Larocque**, nous propose son livre de science-fiction, **Recueil d'événements au sein de l'espace**. Les capsules spatiales le font voyager à la vitesse de la lumière. Il rêve d'être pilote de chasse, l'aviation le captive. Il dessine des supersoniques inventés de toutes pièces et construit des reproductions d'avions militaires. Il se marie en mai 1995 et divorce en 2003. La passion de l'écriture est présente à tous les jours. Sa nouvelle liberté lui permet d'écrire ses fantasmes.

LE COFFRET

PROLOGUE

« Ma chérie, laisse tes devoirs. Viens, tu as bien travaillé. Je voudrais te lire la légende d'une belle Dame ». « Oui papa, raconte, raconte. J'aime beaucoup quand tu me lis une histoire. » Du haut de ses huit ans, Coralie se dirige à pas pressés vers le fauteuil favori de son père. Il avait revêtu son pyjama bleu et, sa belle robe de chambre en velours noir. Il regardait son petit soleil s'approcher de lui, avec toute l'énergie de son âge.

« Raconte papa. », lui dit l'enfant unique, en s'installant sur la cuisse droite de son père. Yvan adorait les moments passés avec sa fille, après une journée à gouverner le simulateur de son futur vaisseau spatial. Celui-ci représentait le résultat de plusieurs années de recherches. Coralie lui donnait un moment de repos mérité. La maison qui les abritait était l'héritage du père d'Yvan. La campagne entourait la grande demeure. Elle permettait à Yvan et à sa fille de se sentir seuls au monde.

« Coralie, dans l'Univers, il y a des milliards de galaxies et des systèmes solaires à l'infini. Ceux que nous connaissons en deux mille deux cents, en représentent une infime partie. Il y a des millions de planètes que nous ne connaissons pas. Sur l'une d'elles, cachée par une forêt, se trouverait une minuscule maison. Elle protègerait un coffret. La planète aurait un pouvoir rare en son centre. Le coffret en serait le gardien. Je vais te lire la légende de la Dame de sable d'or », lui dit son père.

« La Dame de sable d'or dépose ses pieds sur une planète qu'elle connaît sous le nom de Méluzine. La belle Dame aux cheveux longs et blonds, danse en riant. Elle fait voler le bas de sa robe, en laissant partir des pépites d'or tout autour de son aura avec des mouvements lents et précis. Elle apprivoise l'atmosphère et l'océan tout près. La Dame a un visage de jeune fille. Des yeux d'une bonté infinie laissent voir sa grande sagesse. Sa personne donne l'impression de pouvoir se dématérialiser à tout moment. Ses formes rivalisent avec les plus belles fées.

Un ensemble d'arbres millénaires se présente à elle. La belle Dame éprouve une puissante énergie, quasiment visible lorsqu'elle fixe un endroit précis à l'intérieur de la petite forêt. Elle décide de l'explorer. La Dame de sable d'or se dirige entre les arbres, vers ce qui semble une fleur géante. Elle la cherche depuis des siècles. Son désir s'est réalisé : elle a trouvé une fleur très rare. En faisant attention, elle se place au centre de la fleur. Ses pétales multicolores sont ouverts. Un parfum agréable se promène en enrobant la Dame de sable d'or. L'odeur crée un lieu sacré.

La Dame décide de construire une petite maison à l'endroit où elle se trouve. Des pierres se mettent à voler. Bientôt, elles forment quatre murs. Ils se touchent à leurs extrémités. La Dame de sable d'or se repose un peu. Elle est ravie du résultat. Un peu plus tard, elle dessine une belle étoile bleue sur un des arbres, qui lui donne une porte. Elle prend la place de quelques pierres d'un des murs. La demoiselle est satisfaite. Puis, elle souffle en direction des branches de plusieurs arbres vénérables. La Dame de sable construit ainsi un toit pour protéger l'intérieur de la demeure.

La Dame de sable d'or ne touche plus le cœur de la fleur. Elle lévite au centre de la pièce unique. En tenant ses bras ouverts, elle les déplace afin que ses mains soient en face d'elle. La pièce est surchargée de lumière. Elle change de couleur régulièrement. La Dame dit : « Aussi vrai que je suis ici, je veux que tu me donnes le coffret de la vérité et de la liberté. « Elle ouvre les yeux, pour découvrir à l'intérieur de ses mains ouvertes, un petit coffre. Lentement, elle se déplace et dépose le coffret exactement sur le cœur de la fleur géante. Elle demande à la porte de s'ouvrir. Ses pieds sont maintenant sur le sol.

La Dame de sable d'or sort de la maisonnette et se dirige vers son vaisseau spatial. Elle doit partir pour trouver une autre fleur géante, c'est son karma. Avant de quitter, elle marche sur la grève d'une planète qui doit, selon elle, offrir à plusieurs générations d'humains l'espoir de réaliser des prodiges en faisant tourner la roue de l'évolution.

Son bâtiment ressemble à un bateau avec ses deux mâts de plusieurs mètres de haut. Ils supportent le poids de grandes voiles. Il s'élance gracieusement en direction d'un astre capable d'apprécier la venue de la Dame de sable d'or. Les soleils qui voient le bâtiment de la belle Dame se réjouissent de sa venue dans leur parage. Tout semble être plus facile, même si elle ne fait que passer ».

Coralie écoutait son père avec une intensité qu'il n'avait pas remarquée. Elle était seule avec son homme favori. Il y eut un moment de silence. « Dis papa, penses-tu que nous la découvrirons un jour, la planète Méluzine ? » « Oui mon ange, si elle existe, nous la verrons de près. Ma p'tite fille à moi. Nous devons continuer à voyager, toujours plus loin. Je t'aime ma chérie. Il est temps pour toi d'aller prendre ton bain. Je te rejoins pour te border. »

Un peu plus tard, Coralie annonce : « Papa, je suis couchée. » « J'arrive Coralie. » Il monte les marches de l'escalier en courant. « Où elle est celle que j'aime comme un fou ? Elle est là sous les couvertures. Oui c'est bien elle, sors la tête de sous les draps, que je te donne de beaux gros becs mouillés sur tes joues et sur ton front. » Ils s'amusaient et riaient. Coralie et Yvan profitaient joyeusement de ces quelques minutes. « Coralie, il faut faire dodo. Fais de beaux rêves, ma fille. »

Yvan ne s'habituait pas au silence de la maison lorsque Coralie dormait. Avant, Michèle, son épouse, venait le rejoindre en face du foyer. Ils bavardaient, s'embrassaient, et souvent, ils faisaient l'amour sur le tapis moelleux du salon. Elle l'avait quittée tellement vite. Michèle décéda dans les bras d'Yvan. Il s'endormait maintes fois les yeux pleins d'eau.

CHAPITRE 1

VINGT ANS PLUS TARD

Le cargo *Le Rêve* ressemblait à un long tube de deux kilomètres, prolongé par quatre puissants moteurs à propulsion nibaxa[1]. *Le Rêve* était un vaisseau que l'Empire construisait pour approvisionner des équipes de scientifiques et des colonies de fermiers installés sur plusieurs planètes de la Monarchie.

Coralie avait maintenant vingt-huit ans. Ses yeux bruns et ses lunettes à monture noire faisaient d'elle une femme sérieuse. Elle était devenue une spécialiste en contes et légendes. Coralie cherchait avec obsession les sources et les possibles vérités contenues dans des histoires où tous les personnages pouvaient mourir et ressusciter à l'intérieur d'une action invraisemblable.

La Monarchie découvrit Méluzine, grâce à l'équipage d'un vaisseau célèbre. Le *Scorpion* 2 voguait à la recherche de nouveaux mondes, habités ou non. Les habitants de l'astronef virent sur plusieurs écrans la même image : une boule de lumière vive. L'idée de nommer la nouvelle planète « Méluzine » rendait hommage à une légende populaire.

Le père de Coralie était un homme avec un physique solide. Son visage était décoré d'une moustache grisonnante. De ses yeux pairs sortait un charisme étonnant. Son corps était caché par l'uniforme de son grade : Capitaine de vaisseau civil. Il dirigeait un équipage qui lui permettait d'atteindre une des destinations de la mission de trois ans.

Méluzine n'avait pas de lune, mais une aura visible à des millions de kilomètres. C'était la prochaine destination. « Nous serons en orbite d'ici une semaine. Je quitte le centre de contrôle, Messieurs Dames. »

---

[1] Nibaxa : liquide servant de combustible pour la propulsion des moteurs du bâtiment.

Yvan marchait dans un des nombreux corridors du vaisseau en direction de l'appartement de sa fille. Il frappa à sa porte. Sa fille lui ouvrit. En s'avançant afin d'embrasser sa fille, il lui dit : « Parfois, je te trouve distante, ça me tourmente. Je respecte tes recherches, ma fille, mais ne penses-tu pas que tu as tendance à fabuler, il s'agit de légendes Coralie. J'aimerais te parler de ta mère, tu évites souvent le sujet, ça me ferait du bien à moi aussi d'en discuter avec toi. » En prenant une grande respiration, Coralie regarda son père en ne lui laissant pas voir son exaspération. Elle lui dit : « C'est mon métier maintenant. Je trouve les légendes pleines de messages positifs. On aurait peut-être des solutions à nos problèmes si on tenait compte plus souvent des leçons de vie contenues dans ces belles histoires. Papa, tu n'as pas à t'en faire, je continuerai mes recherches tant que je n'aurai pas trouvé. Je te demande de me faire confiance. Essaie de ne pas t'en faire concernant maman, je sais que son absence a été très dure pour toi, tu as dû t'occuper de moi, seul. J'en ai gardé un beau souvenir. Tu sais, si tu veux, nous en reparlerons. Veux-tu papa ? » « D'accord Coralie, j'aimerais que tu te changes les idées. Ta maîtrise ne presse pas tant que ça, je pense. Tu pourrais sortir avec l'équipe qui va descendre sur Méluzine. » « J'y penserai père », lui répondit sa fille. Elle le regarda s'éloigner dans le corridor. Coralie se dit : « Pauvre papa, il s'en fait beaucoup trop pour moi. Je suis tellement bien dans ces mondes utopiques. Malgré tout, il a peut-être raison, sortir du bâtiment me permettrait de respirer un autre air que celui du *Rêve*. »

*

* *

Le vaisseau était à présent en orbite basse au-dessus de Méluzine, une planète qui cachait étrangement sa surface. De l'espace, on pouvait voir du gaz rose, jaune et bleu, avec des teintes de rouge, lui donnant à l'occasion des images de terreur. Mais, la plupart du temps, ses couleurs mélangées faisaient de Méluzine un astre extraordinairement attirant. « Ici le Capitaine du Cargo *Le Rêve*, nous allons descendre à la surface, avec la marchandise demandée. » « Vous êtes les bienvenus. L'équipe du programme Atmosphère vous attend avec impatience. Fin de transmission. »

Coralie regardait par le hublot de sa chambre les nuances changeantes de Méluzine. Elle portait le nom d'une légende que Coralie avait étudiée. La jeune femme fixait un endroit sur la planète. Elle se disait « Quelle belle planète, l'exploration de sa surface est en grande partie à découvrir. » Quelqu'un frappa à la porte de son studio. Coralie ignora ce qu'elle avait entendu. Elle savait que c'était son père. Les coups continuèrent avec un peu d'agressivité. Coralie demanda qui était là. « C'est ton père. Je peux entrer ? » Yvan n'aimait pas quand sa fille le faisait attendre. C'était le plus grand défaut de sa femme. Coralie avait la même façon de ne pas répondre immédiatement. Elle n'en avait pas vraiment envie, mais elle dit : « Oui ». La porte s'ouvrit et son père pénétra dans un appartement décoré de photos murales, de statues et de bouquins se rapportant tous à des contes et à des légendes qu'elle étudiait. Son bureau supportait un ordinateur, des centaines de documents, des disquettes, des CD, et des DVD, toujours sur le même sujet. « Coralie, l'équipe part demain, il faudrait que je sache ce que tu as décidé », lui dit son père, en l'embrassant sur les joues. « Oui père, j'irai avec eux », lui dit sa fille. Yvan sortit de la pièce unique. Elle continua à contempler par le hublot la surface multicolore de Méluzine.

*

* *

Le lendemain, Coralie marchait pieds nus sur une plage. Elle savourait l'effet du contact de ses pieds avec un sable qui coulait entre ses orteils. Elle s'était éloignée du groupe, il livrait de la nourriture en vrac et de l'équipement scientifique. Ils réparaient aussi les outils et les appareils défectueux.

Coralie prenait plaisir à respirer sur une planète qui lui donnait de superbes paysages. Au loin, des montagnes vertes de forêts à perte de vue, plus près, se profilaient des bosquets. Ils dessinaient des formes recherchées, c'était comme si un sculpteur avait façonné ce qu'elle voyait. Elle marchait vêtue de sa belle robe de soirée. L'idée lui était venue, juste avant de quitter le bâtiment de son père. Elle ne voyait plus les membres de l'équipe, ce détail ne la dérangeait plus.

Elle était euphorique. Des milliers de gens invisibles l'entouraient. Ils n'étaient pas menaçants. Ils la regardaient respectueusement, la laissant vivre un très beau moment. Coralie savait qu'elle était maintenant à plusieurs kilomètres de l'appareil qui la ramènerait au *Rêve* avec les membres de l'équipe. Ils commençaient d'ailleurs à se demander ce qu'elle faisait.

La fille d'Yvan continuait son excursion en ayant perdu l'idée de donner signe de vie. Dans un état second, Coralie ne réfléchissait plus normalement. Elle marchait toujours plus loin, sur une plage étendant son sable à l'infini. Les fantômes étaient près d'elle. Ils la protégeaient et exerçaient maintenant un contrôle fragile sur sa personne. Soudainement, elle eut un grand besoin de se baigner. Sûre d'être seule, elle se déshabilla en savourant un vent chaud, il frôlait sa peau dévêtue. Elle plongea dans une vague. Coralie nagea comme un oiseau qui plane au-dessus d'un paradis, pendant des heures. Puis, elle se laissa flotter. Ballottée par les vagues, elle s'endormit.

*

*   *

Coralie sortit de son sommeil en s'apercevant qu'elle était nue. Elle trouva facilement ses vêtements. Elle s'habilla nerveusement. Elle se disait : « Je dois retourner à la navette. Ils doivent se demander ce que je fais. » En regardant autour d'elle, elle remarqua à courte distance des arbres millénaires. L'espace de quelques secondes, elle crut apercevoir une petite maison. Sa curiosité naturelle refit surface. La jeune femme vérifia si elle s'était habillée correctement. La surprise lui enleva instantanément l'idée de retourner avec l'équipage de la navette. L'ensemble des arbres ne lui laissait pas beaucoup de place pour circuler. Malgré tout, la progression vers la raison de sa recherche se termina. Le petit bois cachait bien une maisonnette, elle lui rappela immédiatement celle d'une légende qu'elle avait étudiée. La peur vint lui rendre visite. La fille d'Yvan recula nerveusement, elle tomba. Sa tête percuta une grosse roche. Elle perdit conscience. Elle rêva que sa mère la regardait, portant dans ses bras un enfant. Elle sentait la chaleur de sa mère, et se laissait bercer au rythme de son cœur. Coralie voulait rester dans les bras d'une femme extraordinaire, elle voulait que ce moment ne s'arrête jamais. Elle avait tellement de questions à lui poser. Coralie n'avait pas connue celle qui lui donna la vie, en perdant la sienne. Les réponses étaient restées dans le cœur d'une femme unique.

Coralie reprit conscience. En essayant de se lever, elle considéra la petite maison. Elle était bâtie en pierres des champs. Une vague de fatigue prit possession de Coralie. Elle l'obligea à s'étendre sur une surface confortable. Elle prenait la forme de son corps. Sans le savoir, elle était couchée sur le calice d'une fleur géante. Le Colossal avait ses pétales ouverts. La fleur vivait depuis des milliers d'années et possédait sa pleine vigueur. Elle provoquait sur Méluzine des phénomènes climatiques importants. Lorsque venait le temps de refermer ses pétales gigantesques, elle créait un grand vent qui devenait un mur de plusieurs kilomètres de haut. Il pénétrait le sol de plusieurs mètres de profondeur. Le phénomène encerclait le Colossal à plusieurs kilomètres de distance. Le tout était recouvert d'un dôme d'énergie isolant.

Les esprits accompagnant la fille d'Yvan, avaient maintenant un pouvoir plus stable sur elle. Ils la ramenèrent à la conscience, en lui permettant de vivre ce moment avec un peu moins de stress. Les entités aidèrent Coralie à se lever sans qu'elle s'en aperçoive. La fille unique marcha sur ce qui ressemblait à une pelouse jaune fraîchement coupée. Elle se surprenait à vivre cet instant exceptionnel sans paniquer, sans que son cœur batte à tout rompre.

CHAPITRE 2

Le cargo *Le Rêve*, se trouvait maintenant sur une orbite plus éloignée. Le père de Coralie cherchait, avec l'aide de ses adjoints, un signe de vie à la surface de Méluzine. Le groupe dirigé par Yvan était revenu à bord du cargo. En enlevant les signes vitaux des scientifiques, ils devaient réussir à trouver l'énergie dégagée par Coralie. Rien n'y faisait. Son père devait se rendre à l'évidence. Yvan devait prendre une décision inhumaine : continuer une mission programmée à la minute près. Le Capitaine faisait les cent pas devant son siège de commandement. Sa fille avait disparu sur une planète inconnue. Il avait demandé à ses meilleurs spécialistes de la retrouver, sans résultat. Il essayait de se concentrer afin de croire à la situation. Serait-il capable de partir sans sa fille ? Ses conseillers en étaient venus à la conclusion qu'Yvan devait revenir sur Méluzine après le mandat du cargo. Le Capitaine devait se convaincre que c'était la seule décision à prendre. Yvan donna l'ordre du départ. Il était persuadé que sa fille n'était pas morte. Il devait y croire, sinon, sa vie serait terminée.

*
* *

La surprise pénétrait en Coralie. Une odeur agréable venait la toucher de temps en temps. Le parfum avait un pouvoir. Il donnait à Coralie l'impression qu'elle n'était plus seule. Pourtant, elle avait beau regarder, la jeune fille ne voyait que le gazon jaune, le mur de vent situé à bonne distance, et la maisonnette. Coralie contemplait un décor digne des plus belles légendes. C'était sa réalité. Le spectacle commença. Les pétales du Colossal commencèrent leur érection. Ils montrèrent lentement de resplendissantes couleurs. Coralie ne bougeait plus et ne clignait plus des yeux. Elle vivait. Yvan ne dormait plus. Il sombrait quelquefois dans un monde obscur. Il arrivait à gouverner son bâtiment grâce à l'entraînement qu'il avait subi avant le grand jour du lancement de son vaisseau.

Le nom de son cargo l'aidait à traverser les surprises d'un voyage à travers l'espace. Il travaillait sans relâche afin d'oublier Coralie. Ce n'était pas possible. Parfois, il s'isolait dans ses quartiers et se laissait envahir par une immense vague de larmes non retenues. Heureusement, il savait pleurer. Le Capitaine se devait de soigner son image devant son équipage. « Capitaine, nous arrivons près de Galure. Nous calculons l'orbite choisie par vous », lui dit le pilote du bâtiment. « J'arrive », dit Yvan. « Après cette mission, il n'en restera que trois », se dit-il. Son titre de Capitaine l'encourageait à continuer. Il s'assoyait sur sa chaise de maître à bord avec beaucoup de dignité. « Mettez-moi en communication avec le Président de Galure, Lieutenant Larocque. » « C'est fait Capitaine », répondit le lieutenant. « Monsieur le Président, ici le Capitaine du cargo *Le Rêve,* nous sommes honorés de vous parler. Comme prévu, nous vous apportons le matériel demandé. Nous espérons répondre à vos demandes. » « Ici le Président de la planète Galure. Merci de votre politesse, Capitaine. Nous avons toujours eu d'excellents rapports diplomatiques. J'espère que nous pourrons continuer à prospérer mutuellement. Je vous salue. Fin du message de cordialité, le Président de la planète Galure. »

Au même instant, le cœur de Coralie battait régulièrement. Son cerveau créait de nouvelles connexions neuronales. Elle tournait sur elle-même. Les pétales géants faisaient maintenant facilement vingt étages de haut. Ils se courbaient vers l'intérieur de la fleur à leur cime. Ils produisaient une lumière radieuse et éclairante. Coralie pouvait maintenant voir des nuages en forme de femmes et d'hommes. Ils semblaient inviter Coralie à découvrir l'intérieur de la petite maison. Elle s'en approcha lentement. Plus elle la voyait clairement, plus elle était certaine que c'était bien la maisonnette de la légende de « La Dame de sable d'or ». Coralie pouvait, à présent, toucher les pierres des champs d'un des murs de la bâtisse. Elle longea le bâtiment en touchant les pierres à différentes hauteurs. Coralie fit le tour de l'habitation. Elle n'y trouva pas de fenêtres, seulement une porte, avec, dessiné en son centre, une belle étoile bleue, sculptée avec la précision d'un scalpel. Sans raison, Coralie pensa à ses collègues de maîtrise. Elle était persuadée que certains auraient aimé être avec elle. Faire partie intégrante d'une légende, c'est vraiment incroyable.

L'étoile bleue s'offrait à Coralie, seulement à elle. Comment ouvrir une porte sans serrure, sans poignée et sans clé. Coralie colla ses deux mains sur la porte et poussa. Rien ne se passa. Elle réessaya de toutes ses forces. Elle resta fermée. Coralie s'éloigna du bâtiment en regardant les pétales qui continuaient leurs performances. Elle examina à nouveau les fantômes blancs, rouges et oranges, ils volaient sans interruption. Parfois, Coralie pouvait distinguer un visage furtif sur une des entités. Elle leur parlait par la pensée. Elle demanda comment entrer à l'intérieur de la maisonnette. Un des personnages s'approcha de Coralie. Il lui demanda de regarder la porte. Elle était ouverte. Coralie avait faim. Elle s'avança et s'arrêta sur le seuil. La lumière s'y infiltrait difficilement. Coralie devait deviner les murs intérieurs. En posant son pied droit de l'autre côté du seuil, elle s'aperçut qu'il n'y avait pas de plancher. Son pied gauche suivit. Coralie était dans la petite maison. En s'aidant de ses mains, elle longea le mur à sa droite. Ses doigts tâtèrent la paroi. Elle arrivait à mieux distinguer l'espace dans lequel elle se trouvait car ses yeux s'étaient habitués à la noirceur. Coralie avait raison. Il n'y avait qu'une pièce. La jeune fille eut un étourdissement soudain. Elle tomba sur un sol humide et fit face à un coffret qui semblait être là depuis des siècles. Il faisait partie du sol; on aurait dit qu'il était enraciné à la planète. Sur le coffret était posées trois pommes saines. Elles s'offraient à Coralie. Elle en mangea une en restant étendue sur le sol. La pomme était délicieuse. Elle dégusta les deux autres avec appétit.

Coralie se leva avec une énergie nouvelle. Une lumière s'était activée pendant sa dégustation. Elle voyait maintenant la pièce unique avec tous ses détails. La jeune fille s'aperçut aussi que la porte était fermée. Coralie regarda à nouveau le coffret, trois nouvelles pommes y étaient apparues. Elle s'approcha de la porte unique, en essayant de l'ouvrir sans succès. La fille d'Yvan se concentra afin de communiquer avec les esprits. Elle obtint une réponse à sa question. Pour sortir de la maisonnette, il fallait qu'elle trouve une clef. Elle chercha intensivement la clef libératrice. Progressivement la motivation de mettre la main sur la clef magique s'évanouit. L'idée de rester lui devint possible. Pourquoi vouloir quitter un endroit confortable ? La fille d'Yvan n'avait aucune crainte. Elle appréciait le moment présent avec un soulagement agréable. En se retournant, elle réalisa qu'elle n'était plus seule. Des centaines de gens se parlaient comme dans une soirée de bal. Ils apparurent graduellement et, peu à peu, le son de l'orchestre prit sa place. Il jouait des danses de l'amour, des valses lentes et des tangos. Coralie ferma les yeux et commença à danser sur une grande valse. Elle faisait semblant de bouger avec un partenaire en levant ses bras à la bonne hauteur. Elle sentit immédiatement des bras l'envelopper en prenant le contrôle de ses mouvements. Elle se laissa conduire par l'homme rare, car elle en était certaine, sans ouvrir les yeux, c'était un homme. Ils tournèrent ainsi pendant des heures.

*
* *

Coralie ouvrit les yeux. Elle était à l'intérieur d'une pièce décorée d'un foyer monumental, digne des plus beaux châteaux. Des gens en tenue de soirée regardaient Coralie avec courtoisie. Elle était la reine de la soirée. Elle n'avait qu'à imaginer le meilleur des repas, Coralie l'avait devant elle. Elle voulait savoir ce que le coffret cachait. La fille d'Yvan constata que le petit coffre présentait maintenant une dimension correspondant à plusieurs fois son volume initial. Il pouvait contenir un adulte facilement. La fille d'Yvan s'en approcha en vivant une attirance presque physique envers ce meuble unique. Elle le touchait souvent. Il lui procurait des sensations agréables. D'autres fois, elle l'embrassait. Coralie sentait une grande gêne dans ces moments-là, c'était plus fort qu'elle. Ces étreintes lui faisaient vivre des instants d'extase et même d'orgasmes.

Le coffret était décoré de fils d'or et de magnifiques dessins en pierres précieuses. La foule discutait, riait et s'amusait. Coralie participait joyeusement à la fête. L'idée d'ouvrir le coffre lui parut une possibilité. Elle éprouvait des sentiments envers ce meuble. Elle demanda aux gens s'ils l'avaient déjà ouvert. Ils lui répondirent que oui. « Certains essayèrent sans résultat, d'autres réussirent. Ceux qui avaient toisé l'intérieur du coffre ne purent s'empêcher de s'y étendre. Nous ne les avons jamais revus. » Coralie resta avec une autre question. Où allaient-ils ? Parfois des voix parlaient à Coralie. L'une d'elles se fit entendre. Elle lui dit : « Le passé s'enracine en humus. L'avenir se nourrit. Vivre dans le passé est un enterrement. L'avenir est lumière. Naître est une longue patience. Cela nous donne une liberté infinie, »

Coralie ouvrit le coffre tant aimé. Il était temps pour elle de participer à un voyage fabuleux et éternel. Elle enjamba le meuble. L'intérieur était somptueux. Coralie s'y étendit. Elle déposa son corps en se laissant partir dans un univers parallèle. Coralie laissait sa place. Quelqu'un essayait d'ouvrir la porte de la petite maison en pierres des champs et sa belle étoile bleue.

CHAPITRE 3

Le *Scorpion 2* était en orbite stationnaire au-dessus de la planète Méluzine. Yvan observait un écran géant, il lui permettait de voir en trois dimensions un carré de dix kilomètres du sol Méluzien. Plus précisément, il s'agissait de la région où Coralie avait disparu. Yvan avait une obsession qui décourageait les membres de l'équipage du *Scorpion 2*. Il était toujours persuadé que sa fille était vivante. Le vaisseau militaire lui offrait une technologie de recherche perfectionnée afin d'identifier des signes de vie. Le Capitaine Xarien contrôlait d'une main de fer, son vaisseau. Les Xariens ont intégré la Monarchie depuis peu. Ils étaient des militaires exemplaires toujours disposés à répondre aux ordres de leurs supérieurs. Le père de Coralie devait se contrôler pour ne pas perdre le peu d'estime qu'il avait envers les Xariens. Il les trouvait brusques et sans émotion. Après une journée d'enquête, il fut ravi de s'étendre sur sa couchette. Il lisait le plus souvent possible. Ce loisir lui procurait des moments de détente. Des phrases lui disaient : « L'idée de chaos est d'abord une idée énergétique. Elle porte en ses flancs, bouillonnements, flamboiements et turbulences. C'est une idée d'indistinction, de confusion entre puissances destructrices et créatrices, entre ordre et désordre ».

Yvan n'arrivait pas à admettre que Coralie soit devenue un cauchemar. Il revenait régulièrement. Il était entouré de monstres sans nom. Yvan se battait pour sortir d'un trou sans fond. Yvan voyait Coralie s'approcher de son père. Il gesticulait, elle ne le voyait pas. Après des efforts surhumains, il se sortit de la faille. Coralie était à présent près de son père. Yvan se réveillait en sueurs et en cherchant à respirer. Coralie venait de le pousser dans la cavité sans fond.

*
* *

Le Capitaine du *Scorpion 2* était occupé. Yvan essayait de lui parler. « Capitaine, je dois descendre sur Méluzine. Vous savez pourquoi, nous n'avons pas eu de résultat en scannant la surface. J'ai déjà un groupe pour continuer mon enquête sur le terrain. » Le Capitaine ne l'écoutait pas, il étudiait ses dossiers. Les documents semblaient plus importants que la fille d'Yvan. Le père de Coralie resta sans mot. Il prit une grande respiration, se plaça en face du chef Xarien et lui dit : « Monsieur le Capitaine, vos ordres sont de collaborer avec moi. Nous devons tout faire afin de retrouver ma fille. Avez-vous oublié vos ordres, Capitaine ? » « Non, je n'ai pas oublié Monsieur, lui dit le Xarien. Nous allons procéder à un exercice plus important. Vous pouvez comprendre que la sécurité de mon vaisseau est primordiale. Monsieur, nous sommes d'abord et avant tout des militaires. On vous a permis d'embarquer grâce à l'intervention de mon supérieur. Vous devez suivre les règlements d'un bâtiment militaire, compris ? » « J'en suis conscient, vous pouvez en être sûr », lui dit Yvan. « Vous savez sans doute que nous pouvons partir immédiatement, si nous recevons un ordre plus urgent », lui dit le Capitaine. « Je sais que vous n'hésiterez pas une seconde, Capitaine. Raison de plus, je dois partir avec une équipe rapidement à la surface de Méluzine. Qu'en pensez-vous ? », lui dit Yvan. « Avez-vous choisi votre équipe ? Je peux vous proposer une navette de première génération. Elle embarque cinq personnes en vous comptant. Vous pouvez disposer de la navette immédiatement, sinon vous devrez attendre la fin de l'exercice ». « Vous êtes vraiment un soldat impitoyable. Oui, j'ai déjà mon groupe, ils sont trois. Je dois les trouver, donnez-moi une heure. Ce n'est pas trop vous demander ? » « Vous êtes tellement imprévisible », lui dit le Xarien avec une voix colérique. « D'accord, je ne veux plus vous voir sur ma passerelle. Partez ! »

*

* *

Les savants et techniciens nous accueillirent avec enthousiasme. Les visiteurs étaient rares sur Méluzine. Le chef de l'équipe avait toujours une énergie débordante, avec sa barbe blanche et ses petites lunettes au bout du nez. Il reconnut Yvan en lui donnant une chaleureuse poignée de main. « Bonjour Capitaine, votre retour sur notre planète nous honore, installez-vous dans le bâtiment que vous voyez à votre droite, vous y serez bien. Je vous souhaite bonne chance pour retrouver votre fille. Depuis votre départ, nous avons fait quelques recherches. Elles se sont malheureusement soldées par des échecs. »

Yvan fixait l'océan. Il venait mourir non loin du centre de recherche. « Ma fille est vivante. Elle m'attend, j'en suis sûr, quelque part. Je ne partirai d'ici qu'avec Coralie. Vous me comprenez, Charles ? », lui dit Yvan. « Je vous le souhaite », lui dit Charles, le chef des scientifiques.

Le lendemain, Yvan était sur l'adrénaline. Il voulait partir au plus vite. Il désirait sans plus tarder, revoir sa fille. Un des membres de l'équipe déposa sa main droite sur l'épaule gauche d'Yvan. Monsieur, nous serions peut-être mieux d'étudier les cartes de la région avant de partir. Vous avez raison, je suis très nerveux. Je vais réussir à me calmer en posant des questions aux membres qui ont cherché ma fille. Ils sont ici depuis plusieurs années. Ils devraient être capables de m'aider, de me donner des pistes de départ.

La journée se passa à poser des questions, à étudier des cartes et à faire des hypothèses. Charles parlait à Yvan des travaux entrepris, sans en arriver à des conclusions. Il lui disait que Méluzine était une planète phénoménale. Elle cachait beaucoup de raisons d'être. Tous les chercheurs de l'équipe expérimentaient Méluzine. Dans certaines régions, des vents tournaient en formant de gigantesques cercles. Phénomènes soudains, ils provoquaient des changements importants à l'intérieur de régions où cela était impossible, quelques minutes avant. Méluzine pouvait, à l'occasion, ralentir sa rotation. C'était contre toutes les connaissances scientifiques.

Yvan, Méluzine est une curiosité, elle nous dépasse. Cette planète est une immense question. Elle n'a jamais montré d'hostilité, envers nous. C'est un astre vivant, à l'extrême. Certains jours, elle nous donne des spectacles émouvants, son ciel passe par des mélanges de couleurs magnifiques. À certains moments, nous croyons entendre des sons qui nous reposent malgré nous. « À votre connaissance, des disparitions de personnes ont-elles déjà eu lieu ? », lui demanda Yvan. « À ma connaissance, non, Yvan. Nous ne sommes pas les premiers humains à poser les pieds sur Méluzine. Une des recherches que nous avons faites nous a permis de découvrir un manuscrit que nous n'avons pas réussi à dater. Mais nous avons reconnu certains dessins. Ils correspondent à des lettres. Ils ressemblent à des caractères que nous avons trouvés sur notre planète. Ils pourraient peut-être nous permettre de découvrir une piste concernant votre Coralie ». « Suivez-moi Yvan », demanda Charles.

Yvan suivit Charles jusqu'à une porte. Elle semblait être très pesante, Charles la poussa comme s'il s'agissait d'un portail en carton. En entrant, une odeur désagréable attaqua Yvan. Il porta la main droite à son nez. Ils descendirent des marches usées par le temps. Un corridor creusé dans le roc permettait à Charles et Yvan d'avancer d'un pas rapide. Ils aboutirent devant un mur gravé de sigles se répétant régulièrement. Le mur était très élevé, la pénombre en cachait la cime. Charles se tourna afin de voir Yvan. « Tu vois, ce mur est là depuis la nuit des temps. Aidé par mes coéquipiers, nous avons tout fait pour le dater, même le carbone quatorze n'a pas réagi à son contact. Si tu regardes ici, tu peux distinguer des dessins. Ils sont identiques à ceux que nous avons découverts sur notre planète, il y a déjà plusieurs décennies. Sais-tu à quoi ils correspondent ? À une légende connue sous le nom de « La Dame de sable d'or «. D'après ce mur, la Dame de sable d'or aurait vraiment existé. Encore une fois, nous n'avons aucune preuve scientifique. Nous sommes à plusieurs milliards de kilomètres de notre planète et c'est ici que nous avons une réponse possible. Je sais que Coralie étudiait les légendes. T'avait-elle parlé de cette légende, Yvan ? Elle était littéralement envahie par l'idée de réussir à prouver que ces histoires avaient une vie bien à elles. Que ces personnages et paysages avaient déjà existé à travers le temps. Coralie me racontait quelquefois des aventures qui se sont révélées vraies. Elle me disait que les légendes ont influencé des décisions de nos dirigeants. C'était un secret bien gardé. »

Yvan et Charles sortirent de la caverne en se dirigeant vers le groupe de savants. « Messieurs, nous devons faire notre possible pour aider Yvan. Quelqu'un peut-il nous faire part d'un renseignement utile ? », demanda Charles. Un silence pesant s'établit pendant de longues minutes. Puis une femme prit la parole : « Je lui ai parlé lorsqu'elle sortit de la navette. Elle me semblait fatiguée, mais excitée d'explorer la région. Nous marchions sur la plage, elle me disait qu'elle était contente d'être ici que prendre l'air méluzien lui faisait déjà du bien. La discussion continua sans parler de choses importantes. À un moment donné, elle me regarda en me demandant si j'avais déjà été témoin d'apparitions d'anges ou si j'avais trouvé une fleur géante. Je lui ai répondu que je n'ai jamais été beaucoup plus loin que ce que me permettait mon métier. Sur cette réponse, elle m'avait demandé de la laisser seule. Je l'ai regardée marcher assez longtemps pour m'apercevoir qu'elle était triste. Je peux vous dire que Coralie n'était pas bien. J'ai pensé l'inviter à venir chez moi. Elle était déjà trop loin pour qu'elle puisse m'entendre. » « Elle vous a parlé d'anges et d'une fleur géante ? », lui demanda Yvan. « Oui Monsieur, j'en suis sûre. Coralie semblait avoir les idées troubles. Je n'ai pas insisté, c'est à ce moment qu'elle m'a demandé de la laisser seule. » « Et vous l'avez regardée s'éloigner pendant combien de temps ? » « Pendant au moins une quinzaine de minutes. Je m'en faisais pour elle. » « Vous n'avez rien remarqué de spécial autour d'elle ? », lui demanda Yvan. « Non, elle marchait lentement, il n'y avait rien de spécial aux alentours », lui dit la femme. Yvan et Charles continuèrent à écouter d'autres personnes. Le climatologue prit la parole. C'était un homme qui paraissait bien jeune et surtout, il parlait nerveusement. « Monsieur Yvan, vous savez, concernant les grands vents, j'ai remarqué qu'ils se forment à des endroits précis. Je me suis déjà approché de celui qui est le plus près de notre complexe. J'ai essayé de voir à travers, sans résultat. J'ai réessayé avec l'aide d'instruments, ils m'ont donné des renseignements fort intéressants. L'intérieur du cercle conserve une température agréable et l'air est respirable malgré un toit qui semble hermétique, Mes instruments ont aussi détecté une forme d'énergie. Elle semble être au centre du phénomène. Je peux aussi vous dire le temps que le mur de vent prend afin de s'installer et disparaître. Il s'agit très exactement de deux heures trente minutes. »

Yvan écoutait les spécialistes. Ils lui disaient que plusieurs paysages se formaient et se déformaient avec un rythme régulier, dans une grâce digne des plus agiles danseurs. Sauf la surface où ils étaient installés. Ils en vinrent à la conclusion que leur présence annulait tous les phénomènes se passant sur le reste de la planète.

Yvan appréciait que les membres de l'équipe de Charles se donnent avec autant de zèle pour aider un Capitaine soudainement très fatigué. « Merci, Messieurs Dames, vous m'avez gratifié de vos connaissances. Je vais étudier les dossiers que ma fille a écrits depuis le début de ses recherches. Demain, nous réaliserons notre première visite en suivant la plage que Coralie a empruntée. Mes hommes et moi, nous allons arpenter sur une largeur de trois cents mètres et sur une longueur de vingt kilomètres. Nous allons communiquer avec le *Scorpion 2* pour lui dire de partir sans nous attendre, si la situation se présente. Comme je l'ai toujours dit, je suis décidé à retrouver ma fille quoiqu'il en coûte. Bien sûr, si la situation l'impose, les membres de mon équipe pourront rejoindre le vaisseau de guerre s'ils le désirent, merci encore pour tout. » Yvan termina son discours en faisant le signe de la Monarchie : sa main droite frôla sa poitrine à la hauteur de son cœur.

Yvan s'installa dans la chambre qui lui était réservée. Il prit une douche, puis il s'étendit sur un lit confortable, en pensant au mur de vent. L'idée lui vint qu'une personne pourrait être prisonnière du phénomène. Lorsque que le vent s'établissait, la possibilité pour un individu d'en sortir serait impossible. Que se passait-il durant les deux heures trente minute ?

Le lendemain, Yvan et ses hommes vérifièrent les instruments de détection de la chaleur d'un ou de plusieurs corps vivants. Puis, ils se déployèrent en formant un triangle isocèle. Celui du côté de la mer pointait son appareil en direction de l'océan, celui de gauche en direction de l'intérieur des terres et, celui de la pointe du triangle, le dirigeait droit devant lui. Yvan marchait à l'intérieur de la forme géométrique. Le père de Coralie pointait son instrument dans toutes les directions. Il se servait d'un engin ayant la capacité de voir à travers des formes solides, comme des rochers ou un ensemble d'arbres. Ils avançaient d'un pas régulier. L'équipe aurait ainsi le temps de parcourir les vingt kilomètres prévus. Yvan inspectait tout ce qui ressemblait à une installation de dépannage destinée à se protéger du froid de la nuit. Coralie savait se débrouiller en pleine nature, en cas de situation d'urgence. Yvan fixait l'image que l'écran de son instrument lui exposait. Le vent causait un bruit de branches d'arbres, additionné à celui des vagues de l'océan. Ils offraient à l'équipe une température de vacances. Les pieds d'Yvan se défendaient contre un sable qui essayait de lui tordre les chevilles. Le soleil méluzien frappait les explorateurs de sa chaleur. Les hommes inspectèrent la région immédiate de la plage sans résultat.

Après un arrêt mérité pour manger, le groupe reprit sa besogne avec autant de zèle. Le père de Coralie encouragea son équipe en leur disant qu'ils étaient très professionnels. Le soldat à la pointe du triangle signala une énergie, elle se déplaçait à grande vitesse juste devant lui. Yvan vit une forme sur son écran. L'identification de la silhouette ne donna pas de résultat. « Continuons, Messieurs, il reste encore cinq kilomètres à prospecter », dit Yvan à ces hommes.

*
* *

Yvan était déçu. Il aurait voulu trouver des indices du passage de sa fille, sur la plage visitée. Il fixait les étoiles. Il se battait contre un souffle de découragement, cela lui faisait mal. Il se disait « À pied, Coralie ne peut pas avoir franchi une distance plus grande que vingt kilomètres ». Yvan arrivait avec difficulté à garder son calme. Il ferma les yeux, une image apparut dans sa tête. Le visage de Michèle, la mère de Coralie, proposa à son mari de partir vers un univers enchanteur. Yvan rêvait. Il voyait le corps nu de Michèle lui offrir le plus beau des moments. Ils s'enlacèrent sans retenue. Le couple profitait de la chaleur de leur peau afin d'accentuer un plaisir partagé. Ils s'embrassaient avec passion, les amoureux se touchaient à des endroits fragiles aux extases. Le couple bénéficia d'un orgasme puissant, au même instant. Pendant quelques secondes, ils furent dans un état de détente parfaite. Puis, ils volèrent. Les amoureux se laissaient faire par le vent. Il les amenait vers des zones rivalisant de splendeurs renouvelées. Ils récupérèrent sur un lit à baldaquin entouré de fleurs. Michèle ouvrit sa bouche. Il en sortit des lettres. Bientôt, ils formèrent une phrase. Elle disait : « Yvan, je t'aime toujours, tu es un homme merveilleux et tu seras à jamais pour Coralie un père bien-aimé, un père digne de ce nom. » Yvan se réveilla avec une nouvelle motivation, il croyait l'avoir perdue la veille.

Charles, le chef du groupe de chercheurs, voulait voir Yvan. Il réussit à le trouver sans trop de mal. « Yvan, nous avons présentement le début de la formation d'un Éternel[2] sur nos écrans. Le mur de vent forme une tornade. Vous pouvez constater en regardant l'image de mon portable que contrairement à une tornade, le phénomène ne se déplace pas. En peu de temps le toit donne au mur de vent une forme ronde et stable. »

Yvan regarda avec intensité l'écran. Il essayait de voir une possibilité de pénétrer l'Éternel durant sa formation. « Charles, serait-il possible de pénétrer à l'intérieur, avant la formation du mur de vent ? », lui demanda Yvan. « Personne n'a essayé. Pourquoi posez-vous cette question ? » « Je voudrais savoir, y aurait-il une raison à la surface de la planète pour que l'Éternel apparaisse ? Il existe tellement de phénomènes sur Méluzine. Elle captive depuis plusieurs années déjà des multitudes de scientifiques. Depuis sa découverte, Méluzine continue d'impressionner, de cacher des informations concernant son âge, sa formation et sa raison d'exister dans un système solaire. Méluzine, nous plonge dans l'inconnu, dans l'inconcevable. Elle demeure une question sans fond, une curiosité presque irréelle », lui dit Charles. Les savants lui avaient donné ce nom parce qu'Éternel veut dire : absence de temps. L'inconscient est ce chapitre de notre histoire qui est marqué par un blanc ou occupé par un mensonge. Les équipes de recherches, basées un peu partout sur Méluzine depuis dix ans, se persuadèrent que Coralie était disparue parce qu'elle ignorait que Méluzine cachait des trésors. Ces perles ne sont pas tous du bon côté des choses.

---

[2] Éternel : curiosité climatique, unique sur Méluzine.

Le *Scorpion 2* communiqua avec Yvan. « Ici le Capitaine, nous devons partir. Nous voulons savoir si vous remontez à bord. Si oui, vous devrez partir avec votre équipe d'ici quatre heures. Nous attendons votre réponse le plus vite possible. Fin de transmission. » Le père de Coralie avait sa réponse. Il devait demander à ses trois hommes s'ils voulaient rejoindre leur chef ou demeurer sur Méluzine. Un des trois hommes décida de quitter Méluzine. Les autres dirent à leur chef qu'ils voulaient poursuivre. « Merci Messieurs, vous savez que je n'arrêterai pas. Je suis toujours convaincu qu'elle est vivante. Nous allons découvrir ensemble des lieux jamais explorés. Je vous assure de ma reconnaissance. Merci encore et à demain. »

Yvan aimait beaucoup s'installer dans son lit en compagnie d'un bon livre. La lecture lui procurait une détente presque totale. Le livre lui disait : « La conscience, c'est la mémoire, la puissance de choix. Devine si tu peux et choisis si tu l'oses. » L'impression de savoir déjà ce qu'il lisait le réconfortait. Il se reposait à l'intérieur d'un monde où l'autorisation de réaliser tout ce qu'il voulait était réelle. Yvan recevait par la lecture le cadeau d'une liberté chérie.

Coralie continuait de troubler les rêves de son père. Cependant, une différence dans le déroulement du songe apparut. Coralie avançait vers son père. Il la regardait s'approcher avec toute la vigueur d'un enfant de dix ans. Yvan était assis dans son fauteuil favori. Ils étaient en vacances à l'intérieur de la maison familiale. Coralie était maintenant assise sur les genoux de son papa. Elle lui demandait de lire une des légendes qu'elle savait par cœur. « Coralie, pourquoi te lire encore une fois une histoire que tu sais déjà ? », lui demanda Yvan. « Parce que tu ne m'as pas encore trouvée. Je t'en veux beaucoup papa. Que fais-tu ? Je suis très fâchée. » Coralie griffa son père au visage. Yvan se réveilla avec une crampe à la joue droite. Il ne réussit pas à se rendormir. Il se disait : « Pourquoi ? Pourquoi ma fille est devenue une étrangère ? Lorsqu'elle m'a quitté pour ses études, je ne la voyais que quelques fois durant l'année. Lorsqu'elle s'est embarquée sur le Rêve, elle avait changé. Elle était distante avec moi. Je me demandais souvent pourquoi elle m'évitait, pourquoi elle ne voulait plus dîner avec son père, ou à de rares occasions. » Yvan termina sa réflexion angoissante en se fermant les yeux.

Le lendemain, il donna congé à ses deux hommes. Il s'enferma dans la bibliothèque du complexe scientifique. Des ouvrages de référence concernant les arbres, les plantes et les fleurs existant sur Méluzine l'instruisaient sur la nature méluziène. La planète était très riche, les variétés de fleurs et d'arbres impressionnaient si on les comparait avec la planète d'Yvan. Le père de Coralie se surprenait à découvrir un intérêt pour les forêts, les clairières et la végétation. Il se faisait un devoir d'apprendre le nom des espèces et leurs caractéristiques. La possibilité d'humanoïdes s'avérait jusqu'à maintenant négative. Les scientifiques savaient que la vie intelligente avait déjà existé sur Méluzine. Ils réalisèrent plusieurs recherches et voyages. Ils scannèrent la surface de la planète, sans conclusion.

Yvan avait mis sa carrière en jeu, n'accordant plus d'importance à sa vie. La journée se passa très vite, Yvan s'aperçut qu'il n'avait pas dîné. Le temps d'enregistrer les données intéressantes sur un CD, il se dirigea à la cafétéria. Charles était là. « Bonjour Charles, allez-vous bien ? » « Oui Yvan, et vous, vous avancez dans vos travaux ? Je sais que vous avez exploré la plage. Sans résultat… pas trop déçu ? », lui demanda Charles. « Non Charles, pas trop. Aujourd'hui, je me suis instruit sur la nature de Méluzine. J'ai découvert des arbres et des fleurs semblant avoir une vie très développée. Qu'en pensez- vous, Charles ? », l'interrogea Yvan. « En effet Yvan, il y a encore beaucoup à apprendre. Nos spécialistes pourraient vous renseigner, mieux que moi. Vous devriez rencontrer Paul. Il pourrait vous parler des dernières expériences concernant une fleur géante découverte récemment. Les arbres aussi font l'objet d'observations régulières », lui dit Charles. « Charles, pas d'humanoïdes. Je n'arrive pas à comprendre qu'il n'y ait pas de vie intelligente sur une planète possédant toutes les caractéristiques nécessaires. » « Yvan, la vie sur Méluzine n'est toujours pas exclue. Nous n'avons tout simplement pas eu l'occasion d'entrer en contact avec eux. S'ils existent, ils ne sont évidemment pas intéressés à nous rencontrer. Nous sommes ici depuis plus de dix ans, je suis confiant que l'un de nous, un jour, aura la chance de découvrir un indice. »

Yvan termina la journée en marchant sur la plage qui imprima les pieds de Coralie. Il les imaginait. Le sable ne gardait pas longtemps des empreintes de pieds. Le père de Coralie se laissait divaguer, à croire qu'il n'avait jamais perdu sa fille. Il s'ennuyait de son enfant unique, en dévisageant les vagues. Elles voyageaient plusieurs milliers de kilomètres afin de venir s'éteindre sans aucune résistance. Yvan pensait à la mort. Les vagues seraient-elles une allégorie afin de nous faire comprendre la facilité de mourir ? Le père deux fois en deuil recommença à marcher, en s'éloignant des bâtisses. Il s'imaginait avec Michèle et Coralie. Les trois comparses s'amusaient à des jeux d'enfants. Le trio était heureux, inconscient des dangers. Encore un peu, il s'aperçut qu'il dansait seul, ses deux amours n'étaient plus là. Le père de Coralie se permettait de pleurer lorsqu'il était sûr d'être seul.

Le lendemain, Yvan rencontra Paul. Il examinait un spécimen de fleur. L'homme avait une santé fragile. Très maigre, il devait se déplacer en s'aidant d'un fauteuil, se déplaçant grâce au coussin d'air installé sous le siège. Son laboratoire était envahi par des lianes, des pots contenant des plantes, des fleurs, des arbres minuscules, et son bureau. Il donnait juste assez de place à l'ordinateur, datant de plusieurs années. Yvan dénicha le professeur en se faisant difficilement un chemin. Ses recherches l'ont conduit à étudier les plantes, les fleurs et les arbres de Méluzine. « Paul, Charles m'a dit de venir vous voir. Je ne vous dérange pas ? J'aimerais vous poser quelques questions. Voulez-vous ? », lui demanda Yvan. « Oui. Oui Monsieur, à qui ai-je l'honneur ? » « Je suis Yvan, je recherche ma fille. Je suis le Capitaine du vaisseau *Le Rêve*. Vous avez entendu parler de moi. Non ? » « Oui Capitaine, vous cherchez votre fille, je pense », lui demanda Paul. « Oui, j'aurais besoin de vos connaissances, Paul. Je ne sais plus par où commencer. Méluzine défie tout ce que nous savons. J'en suis à penser que tout est vivant sur cette planète. Pouvez-vous m'encourager en me donnant une piste de départ ? » « Je ne sais pas, Capitaine. Je ne sais quoi vous dire. La planète que j'étudie n'en finit plus de me causer des maux de tête. J'ai du travail pour deux très longues vies, Monsieur. Ceci dit, si je peux répondre à vos questions, je me ferai un plaisir de vous éclairer. » « Merci Paul. Pouvez-vous me faire connaître une plante, une fleur ou un arbre capable de cacher ma fille ? » « Je ne sais pas ». « La végétation est une question pour vous. Auriez-vous un début de réponse pour moi ? » « Capitaine, j'aimerais beaucoup vous aider. Après réflexion, je crois que je peux vous parler ou mieux, je vais vous faire voir des phénomènes que j'ai étudiés depuis quelques mois. » Paul le conduisit à l'intérieur d'un entrepôt. Les documents y étaient parfaitement rangés. Yvan était surpris. Le laboratoire du scientifique était tout le contraire. Paul avança en sortant des documents écrits, des disquettes, des boîtes de photos et de films. Yvan suivait Paul, sa chaise était déjà chargée de réponses possibles. Paul se dirigea vers une grande table sur laquelle étaient disposés les appareils requis afin qu'Yvan puisse lire, regarder et écouter. Yvan aida Paul à déposer les documents sur le pupitre. « Voilà Capitaine, vous avez devant vous des mois de travail. Bonne chance ! Si vous avez des questions, je suis toujours dans mon labo. »

Yvan fixait le nombre de dossiers devant lui. Il pensait en savoir beaucoup concernant la surface verte de Méluzine. Il ferma les yeux quelques secondes, et s'exclama « Je suis fatigué. » Il commença par examiner les photos. Elles lui faisaient voir des paysages fabuleux, les arbres ressemblaient à des œuvres d'art. Leurs formes rivalisaient avec la plus haute fantaisie. Yvan pensa : « Décidément, Méluzine n'a pas d'endroits laids ou moins intéressants visuellement, ce n'est pas normal. Je vais en parler avec Charles et Paul. » Le père de Coralie examina les photographies une par une en espérant en voir une intéressante. La dernière lui montra une fleur géante. Yvan se leva de sa chaise, il courut rejoindre Paul. « Où êtes-vous ? » Paul ne lui répondit pas. Yvan le trouva en train de taper sur son ordinateur. « Oui Yvan, avez-vous trouvé un indice ? » « Je crois, Paul. Regardez. Pourquoi avez-vous photographié cette fleur géante ? » Paul regarda la photo qu'Yvan lui montrait. « Je ne sais pas Yvan, je ne me souviens pas. Attendez. » Paul examina la photo de plus près. « À bien y penser, je me souviens, la photo a été prise il y a déjà quelques semaines. La fleur est très originale, elle est énorme et correspond à un des nombreux lieux vivants sur Méluzine. Nous savons que ces fleurs géantes, que nous appelons d'ailleurs des Colossales, sont enracinées sur toute la surface de la planète. La Colossale est difficile à trouver. Elles sont cachées au centre de petits bois. Nous n'en n'avons pas la preuve, mais il se pourrait que la fleur géante soit reliée à la formation d'un Éternel. J'ai étudié la fleur que j'ai découverte. Son calice a la grandeur d'un terrain de stade olympique. Sa surface est toujours fraîchement coupée et jaune. Capitaine, j'ai passé trois heures à chercher ses pétales. Ils étaient couchés entre les arbres, partiellement ensevelis par de la mousse ou par des racines d'arbres entourant la fleur. Je continue à l'étudier. Justement, demain je dois partir afin de poursuivre mon travail la concernant. Voulez-vous venir avec moi ? », lui demanda Paul. « Certainement », lui répondit Yvan. Il reprit l'examen des photos, sa concentration n'était pas facile, l'homme était fatigué.

La nuit, il ne dormait plus, ou presque pas, rêver à Coralie l'empêchait de récupérer. Sa fille unique l'attendait dans ses cauchemars. Malgré ses lectures, son père n'arrivait plus à contrôler une angoisse pouvant se terminer par une crise de panique. C'était nouveau et pas bienvenu chez lui. Pourtant, il aimait Coralie plus que tout au monde. Il vivait avec une hantise. Yvan devait se faire violence afin de garder le cap. Le père de Coralie était de plus en plus persuadé qu'il devrait mourir, afin de se retrouver enfin en présence de sa fille.

CHAPITRE 4

Le lendemain, Yvan organisa une réunion avec Charles, Paul, et le climatologue. « Messieurs, j'ai besoin de vos connaissances. Aujourd'hui, Paul et moi nous allons voir la Colossale, la plus proche d'ici. Que nous conseillez-vous ? » Le climatologue prit la parole : « Des indices me permettent de croire que la fleur géante est un endroit où la création d'un Éternel est possible. Mon équipe et moi, nous allons surveiller des changements, au-dessus de la Colossale, avant que vous décidiez de pénétrer l'intérieur de la fleur. Si le mur de vent s'inscrit autour de la fleur, vous ne pourrez plus en sortir avant la fin du phénomène. Nous n'avons jamais eu la confirmation que la Colossale participe au phénomène du tourbillon. » « Merci Monsieur, je m'excuse, je ne connais pas votre nom », lui dit Yvan. Quelques secondes de silence s'écoulèrent, Charles parla. « Yvan, il ne faudrait pas oublier d'autres possibilités, elles auraient facilement fait disparaître votre fille. Je crois que vous pourriez prendre du temps pour les étudier, mais, je comprends qu'il faut bien commencer quelque part. Yvan, n'oubliez pas que la technologie que nous possédons ne vous sera jamais refusée. Bonne chance. » « Je n'ai aucune certitude, Charles, sinon celle que je dois faire quelque chose immédiatement. J'ai besoin d'explorer, je suis fatigué de ne pas bouger. Ma fille est ma raison de vivre, je ne vois pas pourquoi la Colossale ne me donnerait pas au moins un début de réponse. Je suis prêt à donner ma vie sans condition, Charles. Me comprenez-vous ? », lui demanda Yvan. « Yvan, vous êtes émotif comme jamais. Vous reposer serait peut-être une bonne idée », lui conseilla Charles. « Mon ami, je ne suis plus capable de me reposer. Je ne fais que penser à Coralie. Je suis incapable de me concentrer sur autre chose. Il faut que je parte à sa recherche. Me comprends-tu ? », lui demanda Yvan avec agressivité. Yvan parlait fort. Il surprit les gens qui l'écoutaient. Il peinait à garder le contrôle de ses gestes. Le temps semblait contre lui et contre le projet de retrouver sa fille. « Messieurs, je m'excuse pour ce débordement, je sais que vous voulez m'aider. Aujourd'hui, je voudrais vous remercier. J'ai discuté avec les deux hommes restés pour m'aider dans mon obsession. Ils ont accepté d'attendre la venue d'un autre vaisseau. Messieurs, je vais accompagner Paul, ma décision est prise. » « Venez Yvan, nous allons préparer notre journée de demain. Mes expériences se feront lorsque nous serons près de la fleur géante », lui dit Paul, l'astrophysicien.

Les scientifiques savaient que la manifestation se présentait régulièrement. Les spécialistes savaient aussi que le phénomène se produisait à plusieurs endroits sur la surface de la planète. Les apparitions n'étaient jamais synchronisées. Un milieu de ce genre, homogène, infini et infiniment divisible, n'était jamais perçu, il n'était que conçu.

Yvan en avait rêvé plusieurs fois, dès son jeune âge. Il ne voulait que voyager dans l'espace. L'inconnu l'attirait. Il savait qu'il voyagerait vers des planètes, des étoiles et des prodiges. Il ferait reculer l'ignorance des mondes connus. Il se retrouvait maintenant à un moment important. Yvan avait toujours raisonné sa carrière. Il n'aurait jamais deviné qu'un jour, il prendrait des décisions en se fiant à son intuition. Lorsqu'il s'agissait de sa fille, Yvan ne se reconnaissait plus, perdre la raison était devenu sa plus grande peur.

*
* *

Yvan et Paul longeaient l'océan, en dépassant le vingt kilomètres que le père de Coralie avait marché. Paul montra du doigt l'endroit. La fleur géante savait se cacher. Yvan ne la voyait pas. Les arbres millénaires les laissaient passer, malgré des racines serpentant le sol. Ils devaient faire attention pour ne pas s'affaler. Paul savait qu'ils n'étaient qu'à quelques pas de la destination. Il attendit Yvan. Le père de Coralie éprouvait des difficultés à garder son équilibre. « Nous y voilà, Yvan. Nous sommes à la limite du calice. Il est énorme, il pourrait contenir l'ensemble de notre complexe scientifique », lui dit Paul. Yvan était euphorique, la surface jaune se présentait à lui. Au toucher, elle avait la douceur d'un tissu de haute qualité. La Colossale se montrait avec toute son arrogance. Elle provoquait chez Yvan des réactions de plaisir. « Paul, les pétales ne sont pas visibles. Où sont-ils ? », lui demanda Yvan. « Ils sont couchés sous la verdure et les feuilles tombées des arbres. Venez Yvan, nous allons dégager une partie d'un pétale », lui dit Paul. En s'aidant du matériel que Paul et Yvan avaient transporté, ils réussirent à dégager une portion d'un des nombreux pétales. Il faisait facilement trois mètres de large et présenta aux deux hommes des couleurs vives. « Quelle hauteur peuvent-ils atteindre ? », demanda Yvan à Paul. « Certainement une hauteur impressionnante, Capitaine. Selon moi, une vingtaine d'étages. Je n'en ai jamais vu en érection. Ça doit être tout un spectacle. Je vais procéder aux expériences que je voulais réaliser. Je vous encourage à visiter un lieu incomparable. L'endroit est sécurisé, vous pouvez me croire, Capitaine. »

Le père de Coralie déambulait sur l'espace jaune. L'influence de la fleur géante accapara Yvan. Il vivait enfin des secondes le rapprochant d'une fille irremplaçable. Coralie était présente et vivante. Son père en était persuadé. Il respirait régulièrement en sachant ce qu'il faisait. Coralie l'aidait, son père en était certain. Yvan ne pouvait s'empêcher de se laisser rejoindre par une fleur magnifique. Elle semblait reconnaître sa souffrance. La fleur devenait un reflet de Coralie. Une connexion étrange entre la Colossale et Yvan envahit l'esprit d'un père qui expérimentait une communion avec l'invisible et la réalité. Enfin, je t'ai trouvée.

*

* *

« Capitaine, réveillez-vous ! Réveillez-vous ! J'ai terminé. Nous devons partir, il se fait tard. », lui dit Paul. Il fallut que Paul bouscule Yvan. Il sortit d'un état s'apparentant au coma. Paul se rendit aux bâtiments en aidant Yvan à marcher. Il dut reconduire le Capitaine jusqu'à sa chambre. Yvan tomba lourdement sur son lit. Il rêva encore une fois. Coralie était plus présente et proche physiquement de son père. Elle lui souriait et portait une somptueuse robe de gala bleu ciel. Coralie n'était plus un cauchemar. Le lendemain, Yvan se leva avec une nouvelle idée fixe. Être à l'intérieur d'une Colossale, le temps qu'il faudrait, en vue de vivre avec sa fille. L'expérience vécue en marchant sur le calice de la fleur géante le persuada.

Coralie faisait partie intégrante de la Colossale. Il n'était pas question qu'un scientifique essaye de le décourager de son projet. Il demanda à Charles de lui fournir le matériel nécessaire afin de tenir seul, une période de temps prolongée. « Êtes-vous vraiment sûr de votre décision, Yvan ? », le questionna Charles. Yvan lui répondit avec beaucoup de conviction. Il savait que Charles voulait le décourager. « Oui mon ami, je sais que ma décision est folle. Je pensais que vous, au moins, vous auriez des mots encourageants. Mais non, vous me regardez comme si j'étais devenu fou. Je suis déçu Charles… très déçu. » « Yvan, comment expliquez-vous votre changement de comportement ? Je ne vous reconnais plus, vous n'êtes plus le Capitaine du *Rêve*. Vous ne viviez que pour votre vaisseau », lui dit Charles. Yvan ne savait plus quoi lui dire. « S'il vous plaît donnez-moi le matériel nécessaire pour tenir un mois. Je ne sais plus comment vous le dire. Je ne suis plus un Capitaine. Je suis un père retrouvant sa fille. Ne me demandez pas de preuves scientifiques. Je n'en ai pas à vous donner. Ce que j'ai vécu ne s'explique pas, ça se vit. » Le père de Coralie se laissa tomber sur la chaise la plus proche. Charles le regardait.

Les mots se bagarraient dans sa tête. Charles voulait aider Yvan. Il fixait un homme transformé. « C'est comme tu veux, Yvan. Je vais te demander de rester en contact avec nous. Des gens vont t'aider à transporter le matériel que nous allons t'offrir. » « Merci Charles. L'aventure que je vais vivre est un choix. Merci encore, tu peux compter sur moi. Je vais communiquer avec ton équipe le plus souvent possible. Ils aideront à l'avancement des recherches sur Méluzine, je l'espère. », lui dit Yvan. « Yvan, inutile de vous dire que si vous changez d'idée, je suis certain que pour revoir un jour Coralie, il y a encore beaucoup d'autres avenues à explorer. Méluzine en regorge. » Charles lui parlait avec de l'émotion dans la voix.

CHAPITRE 5

Yvan était installé sur la surface jaune près de sa frontière. Deux jours d'exploration lui permirent de visiter la superficie unie du calice. Il n'y décela aucune imperfection. Il examina aussi les environs immédiats de la Colossale. Des arbres matures en faisaient le tour. Ils étaient à environ quarante mètres du calice. De l'herbe et des rochers rejoignaient le cercle jaune de la fleur géante. Yvan écrivait ses observations et ses commentaires en s'aidant d'un ordinateur portatif. Il pouvait ainsi s'orienter psychologiquement. Écrire lui permettait de mieux interpréter ses pensées et réflexions. Il s'était donné comme devoir d'écrire une page par jour et de communiquer avec Charles dès qu'il en sentirait le besoin. Le père de Coralie n'éprouvait pas souvent la solitude. À l'occasion, le vague à l'âme venait le toucher. Il chassait immédiatement cette onde en pensant à la présence de Coralie, bientôt. Yvan n'oublia pas d'installer quelques livres dans ses valises. Ils lui parlaient d'étranges mondes et aussi de milieux invraisemblables. L'expérience lui accordait des moments extrêmement apaisants. Coralie n'était plus un tourment lorsque son père dormait. Lorsqu'elle était présente, elle se montrait affectueuse. Elle lui présentait quelquefois des individus étranges. Des ailes faisaient partie de leur anatomie. Coralie lui dessinait des visages qu'Yvan reconnaissait. Il s'agissait de gens décédés, des confrères de travail d'Yvan ayant partagés plusieurs années en compagnie du père de Coralie. Ces rêves embellissaient ce que le père de Coralie vivait sur le calice de la fleur géante.

Deux semaines se passèrent sans changement visible à l'intérieur de la Colossale. Le père de Coralie refaisait, comme à tous les matins, sa randonnée. Il prenait un malin plaisir à scruter des endroits visités tous les jours. Il écrivait immédiatement ses observations en s'appliquant à ne jamais inscrire les mêmes résultats. Il en résultait de petites différences concernant un arbre, l'herbe mouillée ou non. Par la suite, il essayait de se décrire. Dans ce dossier, le père de Coralie constata des changements évidents. Il relisait les premières pages de ses observations en ne comprenant pas qu'il avait déjà été Capitaine d'un cargo voguant dans l'espace, pour la Monarchie.

La troisième semaine, au matin, Yvan se réveilla en sursaut. Le vent était violent. Il se déplaçait à grande vitesse. Yvan devait sortir de sa tente. Des instruments se trouvaient en danger. L'abri restait difficilement en place. Il se découvrait des talents de planeur. Des bourrasques frappaient sans avertir. Yvan garda son calme, en restant à l'intérieur de la tente. Les appareils, à l'extérieur, tenaient bon. Après des heures interminables, le mistral perdit de son intensité. Il devint une brise. Yvan communiqua avec Charles. « Charles, ici Yvan. À vous. » « Yvan, je vous entends cinq sur cinq. Comment ça va ? » « Je viens de vivre un changement de climat radical. Avez-vous vécu une tempête avec des vents capables de déplacer des objets lourds ? », lui demanda Yvan. « Non, la température est calme depuis plusieurs jours. Voulez-vous décrire votre expérience au météorologue ? À vous. », dit Charles. « J'aimerais d'abord vous parler. Je suis toujours aussi motivé à rester où je suis. Vous savez, je ne suis plus le même homme. Vous aviez raison. Même l'idée de la Monarchie ne me dit plus rien. Charles, vous ne me croirez pas, je suis devenu un humain. Un homme croyant en quelque chose de plus grand et de plus noble. Qu'en pensez-vous ? » Yvan posait la question avec un peu de moquerie. « Moi, je ne crois pas à grand-chose, Yvan. Assurez-vous de garder le contrôle de vous. Continuez à nous contacter. Je vous passe le météorologue. Terminé. », lui dit Charles. Yvan était surpris par la réaction de Charles. Il pensait innocemment que Charles aurait voulu discuter des raisons de son changement. Il comprit que Charles ne le prenait plus au sérieux. Quelle déception ! La voix du météorologue se fit entendre. « Bonjour Capitaine, pouvez-vous me donner plus de détails concernant cette tempête ? » « En premier lieu, vous allez arrêter de m'appeler Capitaine, vu ? », lui dit Yvan agressivement. « Oui, oui Capitaine, oh excusez-moi, je vais essayer d'y penser Monsieur », lui dit le savant. « Je n'ai pas observé le début de la tempête. Je dormais. Je peux vous dire que le vent a déplacé des roches faisant facilement dix kilos. Je suis demeuré à l'intérieur de ma tente. Je vérifiais par les hublots de la toile. C'était comme si les bourrasques se situaient seulement dans les environs immédiats de la fleur. Je ne peux pas être certain de ce que je viens de vous dire, Monsieur. La tempête a diminué et je suis sorti. Le ciel était déjà sans nuages au-dessus de la Colossale. Au loin, les arbres me laissaient entrevoir une pluie, accompagnée d'éclairs. Le tout semblait s'éloigner. » « Quelle a été la durée du mistral ? », lui demanda le météorologue. « À peu près deux heures », répondit Yvan. « Très bien Capitaine, oh excusez-moi Monsieur. Vous avez subi, d'après moi, un vent que nous appelons un Civex. Il ne semble pas avoir de naissance. Il est difficile de le suivre et encore plus ardu de le voir mourir, malgré nos instruments sophistiqués. », lui dit le météorologue. « Vous me dites que ce vent est normal sur Méluzine ? », questionna Yvan. « Oui Monsieur, selon nos expériences, ce que vous avez vécu est normal. Avez-vous remarqué si les pétales de la Colossale ont bougé ? » « Non, je n'ai rien vu, je n'ai pas vérifié. Je vais le faire immédiatement. Merci, je communique avec vous dès que j'ai inspecté les lieux. Fin de la communication. »

Yvan se dirigea vers un des nombreux pétales. Ceux-ci faisaient le tour du calice. Le pétale qu'examina Yvan montrait un segment de sa surface, à plusieurs endroits. Le père de Coralie s'en approcha afin de confirmer un déplacement. Il n'avait pas bougé semble-t-il. Yvan refit le même exercice sur plusieurs autres. Il conclut qu'ils ne s'étaient pas déplacés. Un rocher poussé par le vent avait libéré une brèche. Un gaz de couleur violet en jaillissait. Yvan s'en approcha lentement, en vérifiant l'appareil identifiant les éléments de la fumée. Les voyants étaient verts. Le père explorateur était maintenant près de la fosse, la vapeur répandait une odeur agréable. L'émanation pénétra le système respiratoire d'Yvan. Elle termina son exploration à l'intérieur de son cerveau. Le corps d'Yvan se trouvait à présent étendu près de la cavité, en position de fœtus. Il respirait normalement.

D'autres rochers déplacés par le vent dégageaient une ouverture. Elles commencèrent à laisser passer un gaz rare, identique au premier. Tout autour du calice, la vapeur violette se hissait en prenant la forme ronde de la Colossale. La fumée violette continuait son ascension afin d'atteindre l'altitude nécessaire pour englober les pétales de la fleur géante et une zone de deux kilomètres. Une fois installé, le nuage violet créa un mur de vent. La Colossale était isolée à l'intérieur d'un Éternel. Le toit se mit à onduler, ce qui déclencha un mouvement du mur de vent. Il tournait de plus en plus vite autour du toit violet. Le vent s'enfonçait à plusieurs mètres dans le sol de Méluzine.

*
* *

Yvan se réveilla en découvrant une nouvelle luminosité. Son cerveau et son système neuronique surchauffaient. Il ne reconnaissait plus l'endroit et son corps n'existait plus comme avant. Avant quoi ? Ses points de repère n'existaient plus. Le père de Coralie marcha pour rejoindre le calice. Il se laissa tomber sur la surface jaune. Une pensée de femme s'installa dans son cerveau : « Coralie c'est qui ? Est-ce ma fille ? Pourquoi suis-je ici ? Je cherche quoi, qui ? » Il se laissa vaincre par des images qui lui semblaient être la vérité. « Coralie serait-elle ma fille ? » Yvan en était de plus en plus convaincu. Sa fille, son unique fille, il serait ici à cause d'elle. « Oui, c'est bien ça, c'est ma fille Coralie, je l'aime ». « Où es-tu ? », dit Yvan avec des larmes mouillant ses joues. Yvan était maintenant à genoux. Il regardait le mur de vent. Il tournait à grande vitesse. Le ciel était violet. Yvan s'écria : « Aidez-moi, aidez-moi quelqu'un ! » Il s'évanouit. Un éclair puissant venait d'éclater dans sa tête. Yvan était à l'intérieur d'un Éternel.

CHAPITRE 6

« Charles, nous recevons des messages surprenants. Nous captons la formation d'Éternels sur toute la surface de Méluzine. Notre équipe vérifie les données que nous envoient nos satellites et nos centres de recherches sur la planète. », lui dit un des scientifiques. Une jeune planète, vivante comme nulle autre, se déplaçait sur une orbite originale. Les savants ne comprenaient pas sa position en rapport avec son soleil. Des études admettaient qu'elle avait la capacité de se détruire. Elle pouvait devenir à tout moment un anneau d'astéroïdes. Méluzine se transformait rapidement. Son atmosphère, sa surface et ses océans en étaient à leurs premières évolutions, selon les spécialistes. Méluzine existait-elle pour créer des questions concernant sa nature ? Charles avait découvert des raisons, en trouvant des débuts de réponses. Il travaillait sans relâche depuis cinq ans, accompagné de son équipe. Le synchronisme d'Éternels en formation provoquerait-il la destruction de Méluzine ? « En êtes-vous certain ? », demanda Charles à toute son équipe. « Oui, nous avons la certitude que les Éternels se forment sur la surface de Méluzine. Monsieur, nous avons la confirmation. Ils entreront en fonction en même temps », lui dit Paul. « Communiquez à tous les complexes de la planète. Il faut se préparer à quitter Méluzine. Il s'agit d'une alerte prioritaire. Nous transmettrons notre situation à la Monarchie. Des bâtiments viendront au cas où nous serions obligés de partir. Gardons notre sang-froid ». « Nous pouvons vous confirmer le nombre exact d'Éternels, Charles », lui dit un des techniciens. Sept cent soixante-dix-sept, un nombre impressionnant. « Je veux savoir si ce nombre a une signification. Je veux une réponse pour hier. Nous ne savons pas combien de temps il nous reste. Il faut saisir les possibilités de quitter ou de demeurer sur Méluzine. J'attends de vous des réponses. Bonne chance à tous. »

Les Éternels contribuaient à la métamorphose d'une planète sans âge. Méluzine était une source d'énergie, capable de construire des montagnes, des volcans et des puits. Elle n'avait que l'apparence d'une planète. Méluzine participait aux mystères de l'univers.

Charles étudiait les rapports reçus depuis le début de la formation des Éternels. Ils lui donnaient des chiffres, des statistiques, des possibilités et des photos prises de certains satellites. Aucun élément ne permettait de prendre une ou des décisions. Charles devait calmer un stress épuisant. Il voulait comprendre pourquoi Méluzine, une planète digne des plus grandes énigmes de la galaxie, se montrait soudainement un danger mortel. Charles était un homme de science. Il s'obligeait à vérifier, jusqu'au moindre détail. Son équipe devait-elle avoir l'autorisation de poursuivre leurs travaux en mélangeant science et intuition ? Pour la première fois de sa carrière, le chef doutait. Il vivait une situation déconcertante. « Monsieur Charles, Méluzine semble vouloir se désagréger. Elle subit en ce moment des transformations. Elle semble être contrôlée par les Éternels », lui dit Paul, l'astrophysicien. « Paul, que pensez-vous des possibilités qu'elle se détruise ? », lui demanda Charles. « Elles sont vraiment très fortes, Monsieur. En plus, les Éternels prennent de l'expansion. La Monarchie a sûrement capté notre message. Les bâtiments devraient être en route. Continuez, je vais essayer d'interpréter plus précisément la murale que j'ai montrée à Yvan », lui dit Charles.

*
* *

Charles faisait face à la murale sur laquelle étaient inscrits des lettres, des symboles et des dessins. Il n'oublia pas d'apporter un émetteur-récepteur. Il voulait être averti dès que les vaisseaux seraient en orbite. Charles se concentra sur l'ensemble de l'œuvre. Il essaya de se laisser guider par son intuition. C'était nouveau. Des images se montrèrent à quelques centimètres de son visage : une étoile bleue, une petite maison en pierres des champs et un coffret. Ils se présentèrent au même moment. Apeuré, Charles recula. « Que veulent-ils me dire ? » Il ne voulait pas sortir de la grotte. D'autres symboles et dessins s'exposèrent. La dernière image qu'il eut le temps de voir exhibait Méluzine. Elle implosait. Un son se fit entendre immédiatement, Charles sortit de transe. « Ici Charles, que se passe-t-il ? » « Monsieur, trois vaisseaux sont en orbite. On vous attend. »

Les Éternels étaient en connexion avec une sphère située au centre de Méluzine. L'astre reprenait lentement sa forme logique. Méluzine participa à une longue observation d'êtres se faisant appeler des « humains ».

Trois géants étaient en orbite : *Le Marcus*, *L'Océan* et *Le Volcan*. Ils pouvaient embarquer le personnel de tous les complexes installés sur Méluzine. Une rencontre avec les chefs des centres de recherches eut lieu. Tous attendaient une décision.

*

* *

« Ici Charles. J'ai été choisi pour vous annoncer notre verdict. Nous allons immédiatement monter à bord des bâtiments en orbite. C'est un ordre. » Les représentants conclurent que pour la sécurité de tous les membres, il fallait agir promptement. Les trois vaisseaux géants resteraient en orbite haute, afin de poursuivre l'étude de Méluzine.

Charles pensa à Yvan. Avait-il trouvé sa Coralie ? Il le lui souhaitait de tout son cœur. Il ne reverrait jamais Yvan. Charles aimait la présence de cet homme. Le père de Coralie était d'une race rare, celle des hommes n'ayant pas peur de mourir pour réussir.

Les astronefs en orbite se positionnèrent de façon à former un triangle. Les équipages pouvaient ainsi observer la planète sur toute sa surface, simultanément. Les nouveaux venus à bord des bâtiments travaillaient déjà. Être les témoins d'un événement plus que singulier les motiva grandement.

La sphère au centre de Méluzine dégageait une énergie phénoménale. Les murs de vent des Éternels s'enfonçaient afin de rejoindre le cœur de Méluzine. Ils se faisaient un chemin en liquéfiant les solides et en vaporisant les liquides.

Charles observait les Éternels. Ils cachaient presque totalement les multiples couleurs qui caractérisaient Méluzine. L'atmosphère deviendrait violette sur toute sa surface. Charles et son équipe ne comprenaient plus l'instant. Ils étaient devenus des spectateurs. Les ordinateurs enregistraient mathématiquement des formes changeant de masses et des couleurs sans fonctions. Les trois bâtiments regardaient avec leurs radars, leurs yeux électroniques et leurs senseurs, une planète qui fondait sans raison explicable. Méluzine était devenue une petite planète violette. Elle s'était transformée en un astre nouveau. Méluzine n'avait plus les caractéristiques que les scientifiques étudiaient depuis vingt ans, en comptant tous les voyages que la Monarchie avait réalisés depuis la découverte de l'astre.

« Charles, Méluzine implose lentement. Elle passe maintenant du violet à un rouge vif », lui dit Paul. « Nous devons nous éloigner. Prenons les mesures, il faut agrandir le triangle de trente kilomètres », dit Charles à tous les bâtiments.

Charles se remit à songer à Yvan. Il se remémorait les instants passés en sa compagnie. Les deux hommes débattaient de tout et de rien. Ils aimaient prendre un verre tout en essayant de régler les problèmes du monde. Ils appréciaient se retrouver au début d'une journée. Charles revint à lui en constatant que Méluzine faisait à présent la taille d'une planète naine. Sa couleur rouge était moins nette, des nuances d'orange et de noir se mêlaient en se promenant sur toute sa superficie. Méluzine gardait sa place. On aurait dit qu'elle prenait plaisir à se donner en spectacle. Méluzine rapetissait à vue d'œil. Dans un mouvement empreint d'une élégance remarquable, la planète se déforma afin de s'attribuer une configuration propice aux voyages à très haute vitesse dans l'espace. Le nouveau vaisseau laissa une ligne de gaz blanc en se retirant sans laisser de message aux humains.

Il y eut un vide de communication. La surprise paralysa les équipages des trois vaisseaux. Devant eux, un lieu correspondant à une planète nommée Méluzine n'existait plus. Les savants ne savaient plus quoi inventer : de nouveaux calculs, une nouvelle physique. Pourraient-ils expliquer la situation ? Une planète s'était transformée en vaisseau spatial. Ce fait relevait de l'ignorance de la Monarchie. Charles s'était retiré dans sa cabine. Il se demandait s'il n'avait pas rêvé l'évidence. Son bagage de connaissances venait de prendre tout un choc. Il se disait « Nous sommes vraiment petits devant l'Univers. Nous avons la prétention d'être des individus intelligents. C'est peut-être Yvan qui avait raison, en croyant trouver Coralie, en laissant tomber ses connaissances logiques. En se laissant conduire par un esprit inconnu, en n'ayant pas peur de marcher sur des chemins non pavés. Me serais-je trompé en m'appuyant sur la science des mathématiques ? C'est maintenant, que je me pose cette question ». Charles marchait nerveusement, incapable de s'étendre sur son lit. Il n'arrivait pas à ne pas cogiter à Yvan. « La vie pourrait pourtant être si simple : une famille, un métier et une qualité de vie agréable. Voilà ce qu'elle devrait être. Pourquoi devons-nous toujours avoir des énigmes à résoudre ? ». Charles, le chef d'une équipe chevronnée, quittait un endroit unique. Ils étaient à bord du bâtiment *Le Volcan*. Le patron ne savait pas que le cargo cherchait le vaisseau planète. Un des savants demanda au Capitaine la permission de traquer Méluzine. Paul s'obstinait. Si l'équipage réussissait à trouver et suivre Méluzine, il aurait la possibilité d'étudier une planète défiant l'astrophysique. Le Capitaine lui accorda une semaine, afin qu'il décèle un indice sérieux. Le vaisseau planète était déjà loin dans l'infini. *Le Volcan* se déplaçait en gardant un cap approximatif. Le vaisseau planète n'était plus visible sur aucun écran. Les scanneurs lisaient une faible énergie. Elle se déplaçait à plusieurs milliers d'années-lumière. Ils ne pouvaient pas identifier ses caractéristiques. Paul lisait des documents sur l'écran de son ordinateur. Il lui présentait des calculs, des graphiques et des coordonnées. Il les réétudiait, les transformait et les recalculait afin de détecter ne serait-ce qu'un début de réponse.

*

* *

Le vaisseau planète demeurait invisible. Paul était certain que le Capitaine rendrait son verdict très bientôt. Comme de fait, le Capitaine du *Volcan* proposa à Paul l'astrophysicien d'être transféré dans un autre vaisseau réalisant des missions scientifiques. L'astronef poursuivrait la mission commencée par *Le Volcan*. Paul accepta immédiatement, mais avant, il voulait parler avec son supérieur, Charles. Paul frappa à la porte de sa cabine. Il n'obtint pas de réponse. « Monsieur Charles, c'est Paul, je voudrais vous parler. » Toujours pas de réponse. Paul cogna à la porte avec un peu plus de vigueur. Le portail s'ouvrit avec fracas. Il causa une fracture sur le mur qui reçut le coup. « Que voulez-vous ? ». lui répondit Charles, agressivement. « Excusez-moi Monsieur. J'étais heureux de vous apprendre ma nouvelle affectation. Je tenais à vous le dire en personne. », lui dit Paul, d'une voix nerveuse. « Félicitations Paul ! Entrez, nous allons discuter un peu. », lui dit Charles, avec des gestes moins menaçant Paul reprit sa respiration. « Merci Monsieur, comme je vous le disais, j'ai la grande chance de poursuivre mon enquête sur Méluzine. « Voulez-vous quelque chose à boire ? », lui demanda Charles. « Oui, je prendrais bien un bon café. Je vais partir à bord d'un autre vaisseau, Monsieur. Je suis tellement heureux de l'offre de la Monarchie. Je ne sais même pas le nom du bâtiment sur lequel je vais partir. Vous, Monsieur, puis-je vous demander vos projets ? », le questionna Paul. « Je ne sais vraiment pas, Paul. Je crois bien que je vais prendre des vacances sur ce bâtiment le temps de me refaire une santé. La Monarchie saura m'affecter un nouveau défi. Je dois vous dire, mon cher Paul, que Méluzine a ébranlé mes convictions les plus profondes. Je ne sais plus où j'en suis. La disparition d'Yvan me touche beaucoup. J'éprouve une situation qui n'est pas facile à gérer. Je dois prendre le temps, je ne sais pas. Mais je vous embête avec mes problèmes. Je vous souhaite sincèrement d'avoir du succès dans votre nouvelle assignation. », lui dit Charles. Sa voix exprimait des émotions qu'il aurait préféré ne pas exhiber. « Merci, pour le café. Mon transfert est prévu pour demain en après-midi. Bonne chance à vous, Monsieur. » Paul était pressé de sortir de l'appartement de Charles. Il ressentait le malaise de son chef. Paul lui remit la tasse de café vide. Ils se donnèrent une chaleureuse poignée de main.

*

* *

Sa cabine était devenue un endroit clos. Charles en était à la troisième bouteille d'un vin destiné à souligner un événement spécial. Il était seul comme jamais et ne répondait plus aux appels de l'équipage. Le Capitaine du *Volcan* était à la veille d'ordonner d'entrer de force. « Ne vous inquiétez pas, je suis simplement en réflexion. Je suis une méthode me demandant une période de solitude complète. », leur dit Charles avec une grande difficulté à articuler ses mots. L'alcool alourdissait sa prononciation. Le vin rarissime lui donnait accès à un monde qu'il n'avait pas l'habitude de fréquenter. Il devait fermer les yeux afin de respirer un peu mieux. Yvan devenait une obsession. Charles le voyait dans ses divagations. Il prenait différentes formes. Il devenait une très belle femme, un jeune garçon nu, une statue de saint, une image sans signification et un immense pénis. Yvan représentait un non-dit. Charles ouvrit les yeux sur un des murs de sa cabine, la silhouette d'Yvan apparut. Le chef se sentait attiré par ce corps masculin. Il se rendit compte qu'il avait déjà vécu cette attirance sexuelle du vivant d'Yvan. Un immense frisson parcourut son anatomie. Il n'en voyait plus la fin. Charles détestait ne plus avoir le contrôle de la situation. Le chef n'était plus celui qui dirigeait. Il était couché sur le plancher de la salle de bain. Sa chair suait. Son métabolisme réagissait et se défendait. Il devait se servir de toutes les ressources dont son corps disposait afin d'éliminer l'alcool ingurgité. Il subsistait, nageant encore dans un univers inconnu : un monde sans quartier, sans conscience et sans chiffres. Yvan était toujours présent. L'obsession de Charles continuait la possession de son mental. Yvan prenait plaisir à rire de son compagnon. Tu avais peur de moi, Charles, tu n'es qu'un lâche. Tu n'avais pas le courage de me regarder dans les yeux lorsque j'essayais de te faire comprendre que j'avais des sentiments pour toi. Combien de fois, je me suis imaginé faire l'amour avec toi. Tu refusais de voir autre chose que le bout de ton nez. Pauvre Charles, tu es pitoyable. Tu ne mérites pas de vivre. Sur ces mots, Charles ouvrit les yeux. Il ne voyait plus le profil de son homme sur le mur. L'effet du vin commençait à quitter le cerveau de Charles. Il arrivait à apercevoir la réalité de la salle de bain. Son cœur battait frénétiquement, mais régulièrement. Son corps était de plus en plus lourd, il sentait la possibilité d'avoir des gestes précis avec ses bras et ses jambes. Il demeura étendu sur le plancher. Il referma les yeux. Des images se formaient. Le chef les reconnaissait. Il s'agissait des dessins, des lettres et des chiffres de la grotte. La murale découverte par lui, dans la cavité souterraine, voulait lui donner des informations. Il se laissa guider par une curiosité qui ressemblait à un abandon total. Le courage de vivre commençait à lui faire défaut. Il revit la maison construite en pierres des champs, l'étoile bleue et le coffret. Charles comprit instantanément que la légende de « La Dame de sable d'or » était une réalité. Son cerveau eut une surcharge d'énergie. L'ancien chef se leva sans aucune difficulté. Il vit son visage dans le miroir de la salle de bain. Une rage impitoyable s'empara de lui. Il frappa furieusement le miroir qui se brisa en plusieurs morceaux. Charles attrapa, sans faire attention, un fragment de la glace. D'un geste rapide et précis, il se trancha la carotide. Son corps s'écroula. Sa vie de chef d'un groupe de scientifiques venait de se terminer.

Yvan rêvait. Son songe le transportait à l'intérieur d'un astronef. En apesanteur, son corps avançait grâce aux parois des corridors. Ses bras et ses jambes s'appuyaient sur toutes les cavités des murs, du plafond et du plancher. Le père de Coralie prenait plaisir à découvrir les entrepôts, les laboratoires, la chambre des machines, la cafétéria, le centre des loisirs et le salon des gradés. Yvan arrêta sa visite au centre de contrôle du navire. L'endroit était dans la pénombre, il remarqua un personnage assis sur le fauteuil du Capitaine. Yvan s'en approcha sans crainte, lentement, la pièce s'éclaira en laissant voir une dame constituée de sable d'or.

*

* *

Yvan contemplait autour de lui, l'intérieur d'une fleur géante avec ses pétales déployés au maximum. Des formes vivantes et hallucinantes, de couleurs variées, volaient. Les pétales produisaient des coloris qui rivalisaient d'originalité avec les silhouettes. Yvan avait la conviction que c'était vrai. Il ne rêvait pas. Ce qu'il regardait lui procurait un bien-être inconnu. Le tapis jaune l'invitait à marcher. Ses pieds obéirent à l'incitation. Yvan se dirigea un peu plus à l'intérieur du calice. « Je suis dans une Colossale, elle s'est réveillée. Est-elle le résultat de mon obsession ? » Yvan se parlait en continuant à se déplacer sur la surface du calice. Il se régalait de son instant présent, sans peur, en bénéficiant d'une atmosphère accueillante et tout simplement féerique. Le temps existait mais il n'avait plus les mêmes valeurs. Elles étaient moins structurées et importantes pour la suite des choses. Le père de Coralie comprenait que le lieu de sa nouvelle réalité était sa demeure à vie. Il acceptait la situation. Yvan ne se posait plus de questions et devinait une raison à sa nouvelle conjoncture. Le père de Coralie savait que l'endroit lui réservait des phases étonnantes.

Coralie savait que son père n'était pas loin. Elle vivait parmi des milliers d'étincelles. La fille unique en était une à l'intérieur du noyau de Méluzine Il était protégé par une sphère solide. Coralie était devenue la gardienne d'une population d'initiés. Depuis la transformation de Méluzine, la sphère cachée par un amalgame d'énergies et d'immenses blocs de matières solides voyageait dans l'espace. Elle devait rejoindre le vaisseau de la Dame de sable d'or.

Toujours dans un état euphorique, Yvan circulait sur le tapis jaune. Il regardait intensément tout ce que la fleur lui présentait. Au loin, il voyait une maisonnette. Yvan se dirigea vers l'apparition possible. Le père de Coralie n'était pas sûr; la petite maison lui semblait une vision. Il constata qu'elle n'était pas une illusion. Il était maintenant à deux pas d'une petite maison. Soudain, il entendit une voix « Père, je suis au centre de Méluzine. Je suis heureuse. J'ai terminé mes expériences de vie, dans la dimension des humains. Je dois la quitter pour vivre de nouveaux apprentissages. Tu as été l'homme le plus important, papa. Je t'aime tellement. Tu seras à jamais dans mon cœur. » La voix de Coralie s'évanouit en s'effaçant de la mémoire de son père. Il eut l'impression d'avoir éprouvé un moment d'inattention. La maisonnette était encore près de lui. Il décida d'en faire le tour, afin de trouver des fenêtres. Il remarqua aussi que la petite maison était construite en pierres des champs. Lentement, il avait tout son temps. Yvan fit le tour du bâtiment : point de châssis, seulement une porte en bois sur laquelle était sculptée une étoile bleue. Le père de Coralie examina la porte. Il ne voyait pas de poignée ou d'autres moyens de l'ouvrir.

Il fixait l'étoile, impossible de faire autrement. Yvan demeura ainsi pendant des heures. La décision, d'ouvrir ou non la porte cachant une réponse ou une question, le tourmentait. Sa fille était-elle à l'intérieur, morte ou vivante ? Une vague de tristesse l'envahit. C'était la raison de son hésitation à l'ouvrir. Il se répétait qu'elle était là, qu'elle attendait un père joyeux d'avoir retrouvé sa fille. Il laissa sortir des larmes. Yvan mit fin à la situation en poussant la porte. Elle s'ouvrit sans résister, en laissant passer un parfum agréable. L'intérieur sans luminosité ne lui permettait pas de distinguer des détails importants. Ses yeux finirent par lui accorder un peu plus d'informations, pas de plancher, le sol était en terre battue, le toit était construit de branches d'arbres scellées par des feuilles coincées entre le branchage. En examinant à nouveau le sol, la lumière créée par la porte, maintenant ouverte à sa pleine grandeur, lui montrait un coffret. Ses côtés présentaient des racines. Elles s'enfonçaient dans la terre. Yvan eut un étourdissement, la surprise était grande. Il n'y avait pas de cadenas, le petit coffre s'ouvrirait aisément, il était installé au milieu de la surface intérieure de la petite maison bâtie en pierres des champs. Yvan réfléchit : « Une légende, peut-elle devenir une réalité ? L'idée étudiée par sa fille serait-elle plus qu'une possibilité ? » Yvan fixa un coffret qui pourrait faire partie d'une histoire qu'il se rappelait avoir lue à sa fille. La légende de « La Dame de sable d'or ». Yvan se dit : « Oui, c'est bien ça, je suis à l'intérieur d'un conte ». Coralie avait raison, son père faisait partie intégrante d'une histoire. Elle était le nouveau monde d'Yvan. Il ausculta le coffret. Il en fit le tour. Le petit coffre exhibait, entre ses racines, des images. Elles représentaient la même figure : le visage d'une femme très belle, sa peau était de couleur or, ses yeux étaient bleus de mer et ses cheveux était blonds. Ils semblaient flotter au sein d'une brise.

Le couvercle du coffret montrait des couleurs vives, elles circulaient comme des rivières. L'explorateur n'en finissait pas d'en faire le tour. Il se dit : « Allez, ouvre-le, tu n'as plus rien à perdre, ta fille est encore une question. Le coffret est radieux, il ne peut te décevoir. » Yvan ouvrit lentement la boîte au trésor. Dès qu'il put voir l'intérieur du coffret, il se retrouva instantanément sur le plancher d'une salle de bal entouré de plusieurs centaines de gens. Ils venaient de plusieurs planètes connues ou non par un père désorienté. L'endroit lui demanda de masser son visage plusieurs fois avant de considérer sa nouvelle situation. Malgré l'immensité de l'enceinte, les gens devaient se toucher pour se déplacer. Des représentants de planètes connus par Yvan, ne répondaient pas à ses questions. L'ensemble des hommes et des femmes s'ignoraient. Yvan le constata après plusieurs essais d'échanges. Les individus ne l'aideraient pas, Coralie était sûrement présente, il cria son nom. Sa voix resta sans réponse. Revoir sa fille, la serrer dans ses bras, Yvan ne bougeait pas, se tenant debout, difficilement. Il était dans un état de confusion extrême. L'angoisse finit par s'atténuer un peu. Yvan ne s'expliquait pas ce qu'il ressentait. Sans le vouloir, il s'étendit sur un des nombreux divans et s'endormit.

Les êtres dans la salle de bal fêtaient une occasion rare. La Dame de sable d'or devait gratifier ce moment de sa présence. Ils la virent avec toute sa splendeur. L'assemblée appréciait la présence d'un ange envahissant la salle d'une énergie qui traversait le corps des invités, en leur accordant un souffle de vie frisant la perfection. La Dame ne parla pas. Son message était déjà à l'intérieur de chacun des invités. Elle se déplaçait avec élégance, afin que tous puissent la voir de près. L'air était parfumé d'odeurs rassurantes et reposantes. Les gens présents dans la salle de bal évolueraient désormais au sein d'une autre dimension : celle de la Dame de sable d'or. Ils seraient des Nanactaux[3].

*

* *

Les délégués de plusieurs planètes commencèrent à disparaître. Les nouveaux élus entrèrent à l'intérieur d'un nouveau monde. Bientôt, la belle Dame se retrouva seule, en compagnie d'Yvan. Il dormait toujours profondément, la Dame le regardait. Elle flottait en faisant un cercle autour du père de Coralie. Le sable d'or formant le corps de la Dame finit par créer un mur. L'anatomie d'Yvan bougea. Ses yeux s'ouvrirent. Il s'assit facilement sur le divan. Devant lui,

[3] Nanactal : l'équivalent des guides spirituels selon des croyances de l'au-delà.

le sable reprit sa place et reforma une aura et un corps majestueux. De ses yeux explosait une grande douceur et surtout une énorme vague d'amour en jaillissait. Elle toisa Yvan, l'ange attendait que sa conscience redémarre.

*
* *

Yvan éprouva dans tout son corps une énergie fabuleuse ; la Dame était devant lui. Elle savait la raison de la présence d'Yvan dans un des nombreux espaces qui faisaient partie du vaisseau spatial de la Dame de sable d'or. Elle voyageait afin de déposer de petits coffres à des endroits choisis par un groupe de sages. « Yvan, vous avez réussi. Votre brillance est digne de votre fille, Coralie. Je peux vous dévoiler ce qu'elle est devenue. Coralie vous aime comme jamais. Elle est bien, vous savez, elle est près de vous ou à plusieurs galaxies de vous. Cependant, elle n'est plus votre fille, Yvan. Coralie a compris l'importance de ses nombreuses vies antérieures. Coralie vous propose d'être son fils dans votre prochaine incarnation », lui dit la Dame de sable d'or. Yvan regarda la femme, elle venait de lui dire qu'il pouvait, s'il le voulait, devenir le fils de sa fille. Revoir Coralie s'avérait impossible, Yvan posa la question à la Dame. « Il faut que vous compreniez que Coralie est déjà réincarnée. À la seconde où on se parle, elle aime un homme. Ils enfanteront dans quelques heures. Yvan, votre choix est libre, votre décision doit être définitive , lui dit la Dame de sable d'or. Yvan avait des difficultés à se faire à l'idée que son enfant, celle qu'il avait vu grandir et devenir une femme n'était plus sa fille. La Dame de sable d'or déposa ses mains sur les épaules d'un père troublé par la situation. « Yvan, tu dois poursuivre à l'intérieur d'un autre univers. Ton conscient doit disparaître. Tu dois activer ton inconscient, il doit devenir ton conscient, afin de prendre une décision lucide », lui dit la Dame. Il se laissa voler au-dessus et au-dessous d'expériences accumulées depuis des milliers de vies. Elles représentaient un but à atteindre. Des vies permirent à Yvan de rejoindre des niveaux de connaissances très élevés. Certaines, courtes, mais surchargées d'apprentissages négatifs et positifs. D'autres, longues mais vides d'émotions. La Dame de sable d'or escortait le père de Coralie dans son voyage à travers le temps. Elle permettait à Yvan de reconstruire ce qu'il était vraiment, à l'intérieur de sa dernière vie. Yvan comprenait des moments secrets dans ses vies passées. Il amorçait une nouvelle existence grâce à une compréhension approfondie de son essence.

Yvan était un nouvel homme, nettoyé de tout ce qu'il transportait sans le savoir. Son existence, grâce à l'aide de la Dame de sable d'or, était comprise. Yvan savait sans aucun doute ce qu'il devait faire. La Dame lui montra des images sublimes de Coralie en compagnie de son homme. Ils riaient, s'amusaient et vivaient un amour dense. La Dame lui montra aussi des images de la conjointe de sa vie. Michèle était assise dans un paradis. Elle s'occupait d'enfants aussi beaux que la nature le permettait. Elle portait un magnifique bijou suspendu à son cou par une chaîne en or. Yvan reconnut le joyau. Des larmes apparurent et coulèrent lentement sur les joues d'Yvan. La belle Dame les attrapa avec ses mains, afin de façonner deux diamants. « Yvan, ces deux diamants représentent l'amour entre Michèle et toi. Ils trôneront sur la commode de ta mère, Coralie. Elle t'offrira un des deux diamants, lorsque tu atteindras l'âge de comprendre. Tu reconnaîtras mon visage, à l'intérieur de la pierre précieuse. À l'instant tu sauras la mission de ta nouvelle existence. Tu auras toujours la liberté de suivre ton intuition ou non. J'ai confiance, tu accueilleras ta tâche », lui dit la Dame de sable d'or.

La Dame de sable d'or avait donné à Yvan l'occasion de revoir Coralie, et son épouse, Michèle. Les deux femmes représentaient ce qu'Yvan avait de plus précieux. Elles seraient à jamais des souvenirs gravés sur son cœur. La vie qu'Yvan venait de terminer était comprise. Il eut une pensée pour Charles. Il lui souhaitait de trouver une solution à sa vie privée.

ÉPILOGUE

« Mon chéri, j'aurais le goût de te lire une histoire. C'était ma légende favorite. Je demandais souvent à ma mère de la lire. Lorsque j'étais installée dans mon lit, avant une nuit de sommeil. Ma maman me récitait une aventure. Elle me transportait chaque fois dans un univers secret. J'étais persuadé qu'elle n'existait que pour moi. Laisse tes devoirs mon amour, tu as bien travaillé », lui dit Coralie. Du haut de ses huit ans, il s'élança pour rejoindre sa mère. Elle était installée dans son fauteuil préféré. La causeuse trônait au milieu du salon d'une maison qui avait fière allure. Entourés de fleurs alignées et d'arbustes dispersés, le terrain et la demeure faisaient des jaloux dans le quartier. Coralie se prépara à recevoir son soleil. Arrivé à proximité du siège, son fils bondit sur les genoux de sa maman. « Raconte maman, raconte ! », lui dit Yvan. « Yvan, la légende que je vais te lire n'a pas de fin. Personne n'était revenu, après avoir pénétré la petite maison. Ses murs étaient construits en pierres des champs. La petite maison abritait un coffret ». Yvan écoutait Coralie, avec une grande attention. Il profitait du contact physique avec sa mère. La résonance de la voix de sa maman dans son corps lui procurait un plaisir intense. « Maman, penses-tu qu'elle existe pour vrai, la maison ? », lui demanda Yvan. « En 2100, nous sommes au début de l'exploration de l'espace. Il y a déjà trois vaisseaux construits par le gouvernement planétaire. Ils ont été conçus pour des voyages de dix ans sans être obligés de revenir sur notre planète. Les bâtiments explorent de nouveaux astres. Les équipages sont instruits, au cas où ils seraient en présence d'intelligence extrasolaire. », lui dit Coralie.

Coralie conta à Yvan la légende qui avait pour titre « La Dame de sable d'or ». Coralie lui parla des pierres des champs qui volaient, de la belle étoile sculptée sur la porte, de la fleur géante et du vaisseau spatial de la Dame. Elle la savait par cœur, se faisant un devoir de rendre la légende compréhensible, pour son fils. Le temps passa, le garçon était de plus en plus pesant, le sommeil venait le chercher. Coralie l'embrassa sur la tête, il n'eut aucune réaction. « Yvan dors-tu ? », lui demanda Coralie. « Oui maman, je m'excuse », lui dit Yvan. « Ce n'est pas grave mon amour à moi tout seul », lui dit sa mère avec un grand sourire d'amour. Coralie déposa le livre sur un petit bureau juste à côté de son fauteuil. Elle demanda à son enfant de se mettre sur ses pieds. « Tu es trop pesant Yvan, je ne suis plus capable de monter les marches avec toi dans mes bras. Monte t'installer dans ton lit, et n'oublie pas de te brosser les dents comme je te l'ai montré. », lui dit sa mère. Coralie regarda son petit bonhomme escalader l'escalier. Elle aurait bien voulu que son père soit présent. Il était parti sans grande chance de revenir. Les parents d'Yvan décidèrent de prendre un peu de temps, afin de continuer ou non une vie de famille. Coralie n'aimait plus son mari. Elle faisait son possible, afin de trouver des raisons de poursuivre avec son conjoint. Elle se disait : « Il est tellement gentil avec Yvan. Pourquoi je n'ai plus de sentiments envers lui ? J'ai hâte de te revoir Damien, peut-être trouverons-nous une solution ? »

« Maman, je suis sous les couvertures et mes dents sont lavées », cria Yvan. La demande d'Yvan sortit Coralie de sa rêverie. « Oui Yvan, j'arrive ». Elle monta l'escalier, la porte de la chambre de son enfant était ouverte et la lumière y régnait. « C'est bien, Yvan, je suis fière de toi, tu es un gentil garçon ». Yvan aimait beaucoup quand sa mère venait le rejoindre avant de dormir. Ils s'amusaient à se chatouiller, à se donner des câlins et à rire pour rien. « Je t'aime comme ce n'est pas possible, Yvan. Je t'aimerai toujours mon bonhomme. Je dois me préparer, il faut que je dorme moi aussi, mon trésor. Je suis persuadée que ton père pense à toi. Fais de beaux rêves, mon ange. » Coralie embrassa Yvan sur ses deux joues. « Bonne nuit », lui dit Yvan en lui faisant un clin d'œil maladroit.

ZÉLIE

PROLOGUE

Lavra regardait par l'unique fenêtre de sa chambre. Le ciel était dégagé permettant au soleil de répandre une chaleur intense sur la surface d'Ercol. Le garçon de douze ans devait se battre avec l'astre de feu, afin de voir l'impressionnant voilier, qui avançait lentement à proximité de la villa louée par ses parents. Les vacances méritées sur la surface de la planète Ercol étaient réservées depuis un an. Chaque matin, le jeune homme déposait ses coudes sur le rebord de la fenêtre d'une pièce qui lui appartenait. Il admirait le fleuve. Lavra ne savait pas son nom. Le cours d'eau lui permettait de voir à l'horizon, les contours de montagnes vertes, grises et blanches à leurs sommets. Lavra s'imaginait voir au fond du cours d'eau des bêtes gigantesques et dans les montagnes, une base ultra secrète d'une organisation terroriste. Le super héros qu'il était devenu, sauverait le monde de ces dangers.

Lavra n'aimait pas son corps, il était trop maigre. Les adultes le lui disaient souvent. Ils demandaient à ses parents s'il était malade. Le garçon était grand pour son âge. Lavra détestait ces moments-là. Il les évitait autant que possible. Lavra naquit à bord du patrouilleur de classe galaxie *Le Thor 10*. Son père y était responsable des communications. Sa mère était chef des équipes d'ingénieurs. Les géniteurs de Lavra eurent un enfant, c'était une décision de couple. Ils prirent un grand plaisir à s'occuper de lui, lorsqu'il était poupon. Plus tard, le suivre dans ses activités prenait une place importante. Parfois ses parents devaient lui faire comprendre de ne pas contester certaines décisions prises pour son bien. Lavra était un jeune homme timide et solitaire. Il aimait marcher sans raison. Il adorait savoir que personne ne savait où il était, il pouvait ainsi découvrir des lieux qu'il gardait secret. De retour chez lui, il essayait de décrire, en s'aidant d'un crayon, des moments, des objets et des endroits qu'il trouvait dignes d'être inscrits sur les pages de son journal intime. Le métier d'étudiant lui était pénible. Lavra devait saisir son courage à deux mains afin de se diriger vers la cour de récréation. La foule excitée et criarde lui faisait peur. Il préférait se tenir éloigné des groupes, d'amis possibles. Ses professeurs lui disaient souvent de s'approcher, de jouer avec les autres. Lavra n'écoutait pas, les adultes le terrorisaient. Dans la classe, il écoutait le professeur tout en regardant avec ses beaux yeux verts, par les fenêtres, des oiseaux installés sur une des branches d'un arbre centenaire. Lavra ne s'ennuyait jamais ou presque. Le fils unique était content d'être en période de liberté sur une planète invitant toute la famille à l'aventure. Ercol avait été recommandée par plusieurs amis des parents de Lavra. Le fiston décida de marcher en après-midi. Il était pressé de dénicher des trésors. Sa mère lui avait déjà parlé de la proximité d'un village.

*
* *

Prépare-moi une collation, Gaspard ! « Oui Monsieur », lui répondit le robot maison. « Monsieur Lavra a-t-il des préférences ? », lui demanda Gaspard. « Non, sauf pour les biscuits que vous connaissez », lui dit Lavra. « Certainement Monsieur Lavra. Le tout sera prêt dans quelques minutes. Je la déposerai à l'intérieur du réfrigérateur. » « Merci Gaspard. » Lavra enfila ses vêtements de marche. Il quitta sa chambre en se dirigeant à la cuisine. Son père était encore attablé, il lisait sur son écran d'ordinateur portable, les nouvelles de la veille. « Salut fiston, ça va ? », lui demanda-t-il. « Oui papa, je vais bien, je suis content d'être en vacances avec toi et maman. » Lavra ouvrit la porte du vieux réfrigérateur. Il faisait beaucoup de bruit. Le fils trouva sans difficulté son casse-croûte. « Papa, je veux faire un peu d'exploration. Je peux ? » « Ah oui ! C'est une bonne idée. J'avais moi aussi l'intention de prendre l'air. Tout compte fait, je vais en profiter pour m'occuper de ta mère. Vois-tu ce que je veux dire, Lavra ? » Son père lui posa la question en souriant gentiment. Son fils lui répondit avec un peu de gêne : « Non papa. » « C'est pas grave Lavra, fais attention, reviens-nous vers quinze heures. Je te fais confiance mon grand. » « Merci papa, dis bonjour à maman. »

Le fils était prêt. Il passa par un salon décoré d'une immense tête de tigre venant d'une planète servant de relais afin de voyager plus loin dans l'inconnu de l'espace. Lavra avait pris l'habitude de regarder le félin avec un respect solennel. Le salon faisait penser à une salle de musée, on y trouvait plein d'objets, des cartes montrant des régions de plusieurs planètes et des dessins de novas. Des maquettes de bâtiments célèbres racontaient l'histoire depuis le premier vaisseau spatial jusqu'au dernier. Une immense bibliothèque faisait le tour de la pièce. Des tables, des fauteuils et des chaises représentaient plusieurs époques de la planète Ercol. Des rideaux cachaient des fenêtres aussi hautes que le plafond de la pièce. La villa était encerclée par une galerie haute de vingt marches. Le terrain était dégagé jusqu'à la piste. Il fallait l'emprunter pour quitter la résidence. Il était impossible aux véhicules à quatre roues d'accéder à la villa. Le père de Lavra avait bien choisi la propriété. Sa femme s'adonnait à son loisir préféré, la peinture. L'intérieur comme l'extérieur de la bâtisse lui allouaient des raisons de déposer les poils de ses pinceaux sur une toile acceptant volontiers les couleurs élues.

Le soleil d'Ercol frappait toujours aussi fort. Lavra marchait lentement sur la piste qui menait à un chemin un peu plus large, réservé aux piétons. Le jeune homme l'emprunta sans choisir la direction. D'immenses arbres dissimulaient leurs cimes. Leurs branches partaient dans toutes les directions obstruant la chaleur du soleil aux plantes et aux feuillages géants. Ils couvraient un sol sans lumière. À distance régulière, un sentier disparaissait dans la végétation. Il se dirigeait sans doute vers un chalet. Lavra marchait à l'ombre des branches, elles formaient un toit, accordant au garçon une fraîcheur bienvenue. L'abri naturel lui procurait des effets de lumière parfois inquiétants. Ils activèrent son imagination, il s'efforçait de ne pas les prendre au sérieux. Lavra examinait avec l'aide d'une paire de longues-vues. Des brises venaient de temps en temps caresser son visage en déplaçant ses cheveux longs et bruns. Des fleurs se présentèrent à Lavra. Il suspendit son rythme de marche afin de mieux les observer. Il n'en avait jamais vu de pareilles. Plusieurs coloris les garnissaient, elles étaient la beauté d'un paradis inventé par la nature d'Ercol. Lavra déambulait depuis déjà deux heures. Il venait de sortir du terrain privé. Les arbres étaient plus clairsemés. Par contre, la variété des feuillus augmentait, les fleurs aussi. Le chemin était maintenant en terre battue et plus large. Avec ses jumelles, Lavra voyait des véhicules de fermiers. Il considérait de grands champs jaune et or. Lavra croyait voir une mer, car ces étendues ne semblaient pas se terminer avec l'horizon. Des oiseaux venaient manger les grains. Les planeurs vivants, redémarrèrent l'intérêt viscéral qu'avait Lavra pour tous objets ou toutes formes vivantes volant. Dès son plus jeune âge, il collectionnait : des livres, des modèles réduits, des posters, des jeux d'ordinateur et des photos. La magie du vol le passionnait. Il regretta d'avoir oublié sa caméra vidéo. Lavra était immobile afin de mieux observer des oiseaux inconnus.

*
* *

Lavra n'avait pas encore croisé d'Ercoléens. Il n'était pas pressé d'en apercevoir. Le fils unique avançait avec crainte; les demeures étaient de plus en plus proches les unes des autres. De petits animaux ressemblant à des chats traversaient rapidement la rue en regardant Lavra avec méfiance. Son père lui dit que les enfants et les adultes étaient de même taille sur Ercol. Les vêtements Ercoléens les identifiaient selon leur sexe et leur âge. Sa mère lui confia qu'ils atteignaient la maturité physique dès leur deuxième année de naissance. L'espérance de vie atteignait deux cent ans de notre monde, chez les Ercoléens.

Le village était calme. Lavra s'installa sur un banc public. Non loin de là, il aperçut un édifice plus vaste que les autres, trois grandes portes décoraient la façade du bâtiment, il pourrait bien être un lieu de culte. Tout en observant l'entourage, Lavra ouvrit sa boîte à lunch et commença à déguster son contenu. De temps en temps, des Ercoléens passaient devant Lavra. Ils n'accordaient pas d'importance à sa présence, les étrangers continuaient leur chemin en tenant ce qui ressemblait à un sac d'approvisionnement. Les trois portes s'ouvrirent avec un léger bruit. Une foule d'Ercoléens en sortit. Lavra avala rapidement ce qu'il avait dans la bouche. Par réflexe, il prit sa boîte à lunch en la serrant sur sa poitrine avec ses deux bras. Il avait peur. Ses yeux fermés, il entendit des pas passer tout près de lui, en avant comme en arrière du banc.

*

* *

« Tu es Saurazien, n'est-ce pas ? », lui demanda une jeune dame Ercoléenne. « Ouvre tes yeux, je vais essayer de t'aider si tu le veux. Je m'appelle Rasamosa. Je peux m'asseoir ? » Lavra tenait toujours sa boîte avec force et n'avait pas ouvert les yeux. Il comprenait ce que le personnage lui disait avec une voix calmante. Lentement, il ouvrit ses yeux et fixa l'individu qui lui parlait avec autant d'assurance. « Tes parents sont-ils en vacances ? », lui demanda Rasamosa. « Oui », lui répondit Lavra d'une voix hésitante. Son visage rougit, il ne savait pas s'il s'agissait d'une femme ou d'un homme. Il ignorait quoi faire, en pensant au cellulaire dans une de ses poches de pantalon. Il continua à fixer le personnage. La foule s'était dispersée et Lavra était seul, malgré la présence assise juste à côté de lui. « Je suis une Ercoléenne. C'est quoi ton nom ? », questionna Rasamosa. « C'est Lavra. » Le jeune homme réussissait à parler en respirant un peu mieux. « Voudrais-tu visiter le village ? J'ai probablement ton âge, Lavra. » Le vacancier recommença à manger, l'idée lui plaisait. « Je vais avoir treize ans, c'est la première fois que je suis sur une planète. C'est beaucoup plus grand que le vaisseau spatial de mon père. Tout est tellement nouveau. » La conversation se poursuiva entre le Saurazien et l'Ercoléenne. Une confiance mutuelle s'établit. Lavra termina sa collation. Il regarda sa montre. « Il est quatorze heures quarante-cinq. Je dois partir; mes parents vont se demander ce que je fais », dit Lavra à Rasamosa. « Lavra, j'aimerais te faire connaître un endroit comme tu n'en as jamais vu, j'en suis sûre. Tu m'as dit que tu aimais vivre des expériences nouvelles. Fais-moi confiance, tu ne le regretteras pas », promit Rasamosa.

Les Ercoléens ressemblaient physiquement aux Sauraziens. Les Ercoléens se différenciaient par l'absence presque totale de cheveux, un crâne un peu démesuré en comparaison de leur corps mince et élancé. Ils n'avaient pas besoin d'entraîner leur morphologie afin de garder une forme idéale. On voyait chez eux, énormément d'expériences, cela leur donnait une assurance palpable. Lavra était à présent décontracté en présence de Rasamosa. Il voulait visiter le village avec elle. « Quel âge as-tu, Rasamosa ? », questionna Lavra. « Je vais avoir quatorze ans, Lavra », répondit-elle. « Nous avons un an seulement de différence. Je vais avoir treize ans demain », lui annonça joyeusement Lavra. Il saisit son téléphone. « Gaspard, je voudrais parler avec papa », lui demanda Lavra. « Oui Monsieur Lavra, je vous le passe. » « Papa, je voudrais passer le reste de la journée avec Rasamosa, elle est Ercoléenne, elle est très gentille. Je peux visiter le village avec elle ? Veux-tu papa ? J'aimerais beaucoup que tu veuilles papa », insista son fils. « Lavra, tu rentres pour le souper. Tu as compris. J'y tiens. Demain, nous avons une grosse journée, tu sais sûrement pourquoi. Je te fais confiance, passe une belle fin d'après-midi. Retéléphone-moi lorsque tu auras tout visité », lui demanda son père, d'une voix d'hypersensible. « Merci, tu es le plus gentil des papas. Je vais te téléphoner. Ne t'en fais pas. Merci. » Sans perdre un instant, Rasamosa et Lavra arpentèrent le village. Lavra voulait tout voir. Il suivait son guide. Elle le conduisit à l'intérieur d'une épicerie. Rasamosa lui montra des fruits et des légumes aux formes et aux couleurs étranges. Rasamosa lui en fit goûter quelques-uns. Il les trouva tous délicieux, sauf deux ou trois, au goût amer. Puis, ils se dirigèrent un peu à l'écart du village. L'Ercoléenne voulait lui montrer un arbre rare sur Ercol. « Regarde Lavra, je vais briser une feuille de cet arbre. Tu vas voir, elle va repousser dans le temps de le dire. » Lavra connut un état euphorique, il voulait en voir encore plus. Saturé d'une énergie absorbée grâce à la présence de Rasamosa, Lavra en était convaincu. Sa personne rayonnait. Elle invita Lavra à continuer sa visite. « Je dois te dire que tu es particulier, c'est la première fois que je rencontre un jeune homme comme toi. Sur notre planète, il y a beaucoup de touristes. La majorité d'entre eux restent dans leur villa ou leur hôtel. Ces édifices se construisent à un rythme effarant d'ailleurs. On ne trouve pas que de belles choses sur Ercol, Lavra. C'est pourquoi je voudrais te faire découvrir un site secret sur ma planète. Tu sais que nous sommes considérés comme des adultes dès l'âge de deux ans. Lavra, tu es Saurazien, j'ai lu chez toi un avenir exceptionnel. Je ne peux pas te dire en quoi, mais je sais que l'apprentissage que je te propose, va te donner beaucoup plus de succès dans ta vie future. Veux-tu vivre malgré ton jeune âge une initiation mentale ? », l'interrogea Rasamosa avec une attitude empathique. « Tu es libre, Lavra. Ne te fais pas de problèmes avec tes parents. Je vais me rendre à leur villa, ils sauront comprendre la situation. »

Lavra ne savait pas pourquoi il ne trouvait pas les mots pour le dire. Une fabuleuse amitié s'était créée. Il ferma les yeux afin de mieux attendre une réponse. Le garçon eut l'idée de tirer au sort sa décision. Lavra demanda à Rasamosa si elle avait une pièce de métal avec deux faces différentes. « Cette décision ne me surprend pas, Lavra. J'ai peut-être quelque chose qui pourrait convenir », lui répondit-elle. Rasamosa montra à Lavra sa médaille, elle la portait à son cou. Les deux faces de la pièce montraient, d'un côté, une image de femme travaillant aux champs, de l'autre, un animal à deux têtes. Rasamosa enleva la chaîne de son cou, en libérant la pièce. « Tu choisis lequel, Lavra ? » « Je choisis la dame ». Rasamosa tira la pièce en l'air en lui donnant un mouvement de roulis sur elle-même. Lavra regarda la petite rondelle tourner en retombant sur le sol, elle roula sur son épaisseur pour enfin s'arrêter et tomba sur une des deux images. Rasamosa s'en approcha afin de déclarer le verdict au garçon. « Lavra, veux-tu savoir ? », lui demanda l'Ercoléenne. « Tu sais que tu peux encore changer d'idée ». « Non, je ne change pas d'idée. C'est quoi ? » « Lavra, tu as gagné un voyage épique. » Rasamosa s'approcha de lui pour l'embrasser sur les deux joues. Il suivit Rasamosa jusqu'à une des trois portes d'un bâtiment du village. Il était bondé d'individus plusieurs heures auparavant. Ils l'ouvrirent ensemble et entrèrent coude à coude à l'intérieur d'un grand espace sans chaise ni banc. Au plafond blanc pendait une énorme sphère au bout d'un câble. La boule tournait en projetant des jets mauve et bleu en passant par le rose soufre, sur les murs blancs. Le plancher était invisible, Lavra et Rasamosa marchaient sur un parquet absent. Lavra avait le vertige, il était réticent à mettre son pied droit en avant de l'autre. Rasamosa s'en aperçut. « Tu n'as pas à avoir peur, il s'agit d'une illusion d'optique. Tu as deviné que nous sommes dans un lieu sacré. Avoir l'impression d'être dans le vide crée chez les croyants Ercoléens un état propice à la focalisation sur les domaines spirituels qu'ils étudient. Certains Ercoléens doivent faire un choix dès la première année de leur vie. Continuons d'avancer il faut se rendre à l'arrière du bâtiment. »

En sortant par la porte de poupe, Rasamosa dirigea Lavra vers un mur. Il grandissait en hauteur et en largeur au fur et à mesure qu'ils s'en approchaient. En peu de temps, la façade cacha le paysage de la planète. Lavra regarda dans toutes les directions. Le garçon et Rasamosa, étaient maintenant, encerclés par une muraille haute de milliers de mètres. Puis, une épaisseur d'eau colorée commença à chuter de la cime de la falaise. La puissance du fluide s'enfonçait à grande vitesse à l'intérieur du sol d'Ercol. Le gazon s'enfonça selon l'épaisseur de la chute. « Lavra, tu dois continuer seul. Il y a une porte un peu plus loin, elle est grise. Introduis-toi, elle te laissera passer. » Le jeune Saurazien ne voyait plus Rasamosa. « Où es-tu, Rasamosa ? », dit-il d'une voix inquiète. « Je fais partie intégrante de la cascade d'eau maintenant. Lavra, je te remercie de m'avoir crue. Je te souhaite un voyage mémorable. »

Après un long moment à examiner la couleur grise, Lavra avança son pied droit, en franchissant l'ouverture sans difficulté. À bonne distance devant lui, un château et ses cinq tours hautes comme des montagnes. L'atmosphère était chaude et paisible, l'endroit était sans ciel ni paysage. Le palais se dressait seul, le reste était sans lumière. L'adolescent aventureux foulait un sol qui s'illuminait et s'éteignait avec ses pas. Il prenait plaisir à deviner la prochaine couleur, elle apparaîtrait sous son pied droit. Il se laissait posséder par le moment présent. En s'approchant lentement de la forteresse, Lavra scrutait du regard les tours d'ivoire. Pas d'accès visible, il parcourut la façade. Elle ne révéla rien de l'endroit où était l'explorateur. Lavra avait hâte d'apprendre. Il pensa à Rasamosa. Il aurait aimé qu'elle soit là. Sa présence était une source d'énergie infinie. La sensation des baisers qu'elle déposa sur ses joues était encore présente. Soudain, le trottoir arrêta sa performance. L'adolescent releva la tête, en s'immobilisant. La façade du château dévoilait à Lavra des oiseaux et des animaux. Ils décoraient les murs extérieurs de la bâtisse. Lavra ne sentait plus ses jambes. Il était à genoux, le spectacle des reproductions était sans nom. Des dessins géants montraient leurs plus beaux atours. Lavra les contemplait. Qui avait tracé de pareilles lignes ? Il devait se frotter les yeux de temps en temps. Il se disait : « Je pense que je ne suis pas loin d'être heureux. Pourquoi c'est moi qui vis une telle aventure ? Je suis peut-être un héros ? Pourquoi moi ? Je n'ai rien de plus, je ne suis qu'un peureux. » Lavra se leva tout en continuant à admirer l'œuvre.

*
* *

Un pont-levis s'ouvrit juste devant Lavra. Une lumière intense d'un blanc rosé jaillit de l'ouverture, sans aveugler le jeune homme. La nouvelle source d'énergie l'envahit d'une nouvelle force. Il se sentait beau et pouvait poursuivre sa quête. Devant lui s'étalait un espace vide. Lavra ne voyait pas ses limites. La cour intérieure du château était sans lumière. Il bougea sa main droite. Les couleurs jaillissaient de ses doigts. Les giclées volaient en créant des alliances de nuances, elles rivalisaient afin d'accorder à leur invité, toutes les possibilités d'harmonisation.

« Bonjour Lavra, sois le bienvenu au sein de ton château. La voix provenait de l'intérieur du corps du garçon. La surprise était grande, son cœur battait la chamade. Le chant noble recommença à déclamer. Lavra, tu n'as pas à avoir peur, tout ce que tu vas entendre, voir et toucher sera vrai. Tu vas réussir à calmer ta nervosité, c'est très bien. » Lavra flaira une odeur de gâteau chaud. Le temps de fermer les yeux pendant quelques secondes, une pâtisserie invitante, à plusieurs étages, trônait sur une table, à courte distance de l'invité. « Jeune homme ». La voix recommença à s'entretenir avec lui, il l'accueillit. « Il est temps que je te dise ce que tu vas vivre ici. Tu as le privilège, à ton âge, de savoir ce que d'autres n'apprendront que beaucoup plus tard. Ne parle pas, écoute et apprends. » Il y eut un bref instant de silence. « Lavra, le château c'est ton corps, tes os, ton cerveau, tes organes de reproduction, de digestion et ton système nerveux. Ils représentent ce dont tu as besoin afin d'aller plus loin. Ton corps est ton vaisseau, il agit dans ton *ici et maintenant*. Ton physique est mortel, prends-en soin. » Le jeune homme regarda un peu à sa droite, il y découvrit une chaise. Lavra s'assit sans demander la permission. Il examina de plus près le gâteau frais et très attirant. La voix déclara à nouveau. « Le gâteau, c'est ton énergie. Tu pourras mieux t'en servir lorsque tu en auras conscience. Tu devras avoir une grande soif de connaissance. Ta naissance n'est pas gratuite. Tu n'es pas un garçon sans raison. Lavra, tu as le pouvoir de voir, de sentir, d'entendre, de parler et de ressentir. Tu as la capacité de produire ce que tu veux de ta vie. Mange un morceau du gâteau, tu n'en auras jamais dégusté un aussi bon. Sers-toi de toutes tes possibilités. » L'adolescent en avala un gros morceau en s'aidant de ses mains, Lavra savourait un dessert digne de porter ce nom.

*
* *

Un gaz multicolore prenait toute la place, maintenant. La pâtisserie avait disparu, la table aussi. La fumée s'intensifiait, Lavra s'amusait à l'aspirer, et à la rejeter. Son souffle lui donnait des formes indestructibles dans l'espace du lieu. Le garçon était hors du temps, il profitait d'un silence délassant, il s'endormit en tombant sur le sol. La chaise n'était pas disparue.

*
* *

Lavra se ranima couché sur un lit à baldaquin. Une toile formait le toit de la couche. Elle lui montrait un ensemble d'étoiles. À l'intérieur d'un espace vide, le lit était son seul repère, il lui accordait un équilibre solide. Lavra demeurait immobile, en fixant une des étoiles. Elle ne lui était pas inconnue. C'était sa planète, Sauraze était belle, il la savait par cœur. « Lavra tu as terminé ton aventure. Je désire te dire que j'ai été heureuse de t'aider. J'ai l'intention de t'offrir un cadeau, mais attention, tu devras le remplir d'expériences. Elles devront contribuer à ta maturité. Elles deviendront j'espère, un début de sagesse. »

VINGT ANS PLUS TARD

La mort de Tuzal le hantait. Tout s'était passé si vite. Les deux compères accomplissaient une mission : se poser sur une île située au milieu d'un océan caché par une épaisse couche de glace. Le pôle sud d'Uxe présentait des montagnes formées par la cime d'icebergs tous azimuts. L'orbite de la planète Uxe permettait de réaliser des observations concernant une autre planète. Elle évoluait proche d'Uxe depuis quelques semaines. L'intervalle n'arrivait qu'à tous les cent ans. Le petit vaisseau était piloté par Tuzal, un Saurazien au nez un peu long, aux lèvres bien dessinées, à la barbe mal rasée, il possédait aussi des yeux bleus et des cheveux blonds. Ses vêtements toujours froissés et son physique d'athlète, lui accordaient une présence solide. Malgré son jeune âge, il avait plusieurs heures de vol sur les navettes de classe *Rulax*. Le mandat devait durer de trois à quatre jours. Après une manœuvre délicate due à la poudrerie, le petit vaisseau se posa sur une étendue accidentée et surtout, glissante. L'appareil se déplaça de quelques mètres à cause de la glace. Tuzal désactiva les quatre puissants moteurs. Il s'en suivit un silence et une impression d'isolement difficile à accepter par les deux passagers. Afin de tromper ces moments-là, le travail à faire était le bienvenu. Tuzal vérifia ses instruments de navigation et de pilotage. Poser le *Rulax 2* avait demandé beaucoup aux moteurs. Ils manifestaient des signes de fatigue. Pendant que Tuzal examinait ses outils, Lavra s'habilla de vêtements polaires.

Il devait fixer deux antennes paraboliques sur le toit du petit vaisseau, une fois le *Rulax 2* campé sur Uxe. Malgré le mauvais temps, Lavra escalada la navette en s'aidant d'une échelle encastrée à sa carrosserie. Le vent froid pinça le visage sans barbe de Lavra. La situation lui demandait une concentration frôlant la perfection. Lavra arriva péniblement sur le toit de la navette, il repéra les endroits prévus. Les antennes étaient sur son dos, rangées à l'intérieur d'un coffre en aluminium. Le compagnon de voyage de Tuzal devait désenclaver les courroies. Elles maintenaient la caisse sur son dos. L'opération s'avéra difficile, le vent soufflait de toutes les directions. En prenant son temps et en essayant d'oublier le froid, ses doigts s'engourdissaient malgré ses mitaines. L'astronaute amarra les deux mâts, avant d'ouvrir les surfaces courbes, dès qu'ils furent déployés la bourrasque les frappa de plein fouet, ils demeurèrent en place, Lavra était satisfait. Il continuait à combattre le blizzard, il se servait du manteau de Lavra, pour le déséquilibrer. Envers et contre tout, il réussit à descendre du toit, son corps répondait à ses demandes. D'autres appareils devaient être aménagés à l'extérieur, pas très loin du *Rulax 2,* la même journée. Le coéquipier de Tuzal pénétra l'habitacle, il devait se réchauffer quelques minutes. Le pilote calculait les niveaux d'énergie des réservoirs des moteurs et le trajet le plus court à suivre lors du décollage. Lavra lavait ses lunettes, il les portait afin de se protéger les yeux du grand froid et pour corriger sa myopie, il prépara le matériel qu'il devait transporter une fois ses verres remis à leur place. Il accomplirait des allers et retours, le matériel était lourd. Il s'habilla de nouveaux de son enveloppe de fourrure, de ses bottes et de ses mitaines chaudes. Il achemina le matériel, en s'aidant d'un traîneau, à bonne distance du vaisseau. Le blizzard toujours présent, compliquait l'activation des ordinateurs spécialisés. Ils réaliseraient des enregistrements et fourniraient des tonnes d'informations sur la planète observée. Lavra termina la journée avec des bouts de doigts gelés, il ne sentait plus ses oreilles et ses orteils. La première étape de la mission était terminée.

Lavra avait maintenant trente-trois ans. Ses épaules étaient gonflées par des muscles puissants. Ses yeux verts et ses cheveux clairsemés lui décernaient une présence sérieuse et amicale. Il accumula des voyages, et des connaissances. Il termina des études en astéroséismologie ainsi que des recherches concernant la matière sombre de l'Univers. Tuzal et Lavra n'en étaient pas à leur première mission. Ils s'appréciaient depuis quinze ans. Tuzal venait d'entrer au Trisium[4]. Il était seul dans un complexe colossal. Ils étaient vite devenus de très bons copains. Plus tard, les deux hommes s'étaient revus dans le cadre de demandes d'emplois. Tuzal et Lavra en profitèrent pour dîner ensemble. « C'est vraiment agréable de te revoir, Lavra. Que fais-tu ? » « Dernièrement, j'ai eu un contrat à la station spatiale *Rose 6.* Les chercheurs font de la recherche sur la matière sombre. C'était un contrat intéressant. Et

---

[4] Trisium : l'équivalent d'une université.

toi ? », le questionna Lavra. « Moi, tu vois, je fais comme toi, je cherche du travail. Je suis pilote maintenant. Je sais qu'ils en ont besoin. » Ils demandèrent à leurs maîtres s'ils pouvaient travailler en équipe sur une base régulière. On le leur permit. Lavra et Tuzal se comprenaient parfois sans mot dire.

La proximité des couchettes créait, depuis quelques expéditions, une atmosphère propice à des idées discutables. Lavra redoutait d'en parler à Tuzal, tout en éprouvant un plaisir certain, lorsqu'il s'imaginait faire l'amour avec son compagnon. Tuzal ne manquait pas une occasion de lui faire comprendre qu'il était intéressé. « C'est vraiment une planète à faire peur », lui dit Tuzal.

Son visage devint plein d'une amertume de longue date. La décision de parler de la situation confrontait leur amitié. Tuzal recommença à parler. « J'ai eu des difficultés plus qu'importantes à le poser, Lavra. Le bâtiment montre des signes d'usure, surtout les moteurs. » Sur ce, le pilote se prépara pour une nuit de sommeil. Lavra était déjà loin des problèmes de la navette. Il entendait son compagnon prendre sa douche, il se disait « Si j'allais le rejoindre ? » La peur du refus l'enchaîna. Lavra était allongé sous les couvertures de son lit. Tuzal termina sa toilette, en passant près de la couchette de son coéquipier, il remarqua que Lavra examinait sa nudité, avec une intensité inédite. Se passait-il quelque chose chez Lavra ? Tuzal espérait que c'était bien ce qu'il comprenait. Il n'y avait qu'un moyen de vérifier ce moment magique. Tuzal s'approcha lentement du lit de Lavra. Son excitation s'amorçait. Lavra frémit de désir, en espérant que Tuzal prenne avec ses mains un pénis en érection. Retirant lentement la couverture, elle cachait un corps depuis longtemps attendu. Lavra décida de profiter de chaque seconde d'un ébat voulu. Le premier contact de Tuzal aborda la poitrine de son compagnon, avec ses lèvres, tout en promenant sa main gauche sur le corps enflammé de Lavra. Ils se caressèrent. Lavra prenait le sexe de son amant avec sa main gauche, ses doigts touchaient un gland humide d'excitation. Tuzal s'étendit sur Lavra, face à face, ils amorcèrent un mouvement de hanches. Leurs sexes se frôlaient. Ils étaient gonflés au maximum. Un orgasme presque au même instant, gratifia un moment prodigieux.

Le lendemain, Lavra se leva avec un goût amer dans la bouche et dans l'âme. Pourtant, le regret n'était pas présent chez-lui. Les réactions de Tuzal l'inquiétaient. Comment l'expédition se poursuivrait-elle ? Il regarda par un des hublots de la navette. Trois planètes exposaient leur beauté, la proximité d'Uxe permettait de les voir le jour. Lavra s'attabla pour déjeuner. Tuzal vint le rejoindre, ils mangèrent par obligation. Tuzal et Lavra n'étaient pas capables de se regarder. Le vent continuait à souffler. « Je vais déplacer le vaisseau, Lavra. La température va endommager les moteurs. » Lavra ne laissa pas son coéquipier essayer de reprendre la conversation. Il sortit vérifier les appareils une deuxième fois, vu le climat. Pendant ce temps, Tuzal activa les moteurs de la navette. Les quatre engins rugirent. Ils projetaient le résultat de leur combustion. Tuzal vérifia son tableau de bord, deux des moteurs présentaient des difficultés. Ils n'allouaient pas toute leur puissance, Tuzal décida d'équilibrer la force des deux moteurs fonctionnant bien, aux deux autres, le *Rulax 2* permettait à son pilote de combiner la puissance d'un moteur à l'autre. Tuzal réussit l'opération, c'était la seule solution. La navette n'était plus fiable. Permettrait-elle à l'équipage de quitter la planète Uxe ?

Le *Rulax 2* se déplaçait à basse altitude, il s'éloignait à grand-peine. Le pilotage demandait à Tuzal un effort soutenu. La navette voulait à tout prix tourner à gauche. Lavra regarda un vaisseau tournoyer de gauche à droite, deux des quatre moteurs crachaient une fumée noire, ce n'était pas normal. Lavra essaya de communiquer avec Tuzal, pas de réponse. La navette s'immobilisa en altitude juste avant d'exploser devant Lavra. Il demeura debout, à fixer des débris brûlants tomber sur la neige dure. Un vaisseau arriva afin de chercher le survivant. Tuzal eu le temps d'envoyer un message de détresse.

*
* *

L'image du *Rulax 2* explosant était obsédante. La planète Ercol apportait à Lavra un peu de repos. Un voilier passa sur le fleuve.

Lavra se rappela une expérience vécue la veille de ses treize ans. Il se souvenait de la beauté des lieux, de la porte grise, du château, du gâteau et du cadeau. Un cadeau, il en avait bien besoin. L'endroit n'avait pas changé, les Ercoléens ne faisaient toujours pas attention à la présence des touristes. Les trois portes du bâtiment étaient là. Lavra eut l'idée d'entrer. La sphère au plafond faisait toujours office d'éclairage, la présence de chaises le surprit, il s'installa sur l'une d'elles. L'homme en deuil lirait à l'abri du soleil.

Le livre de poésie lui raconta : « Sincèrement, il espère que vous êtes bien. Malgré votre deuil. Monsieur, il espère que l'âge vous aura donné un repos et un cercueil. Franchement, il ne veut pas que votre dos soit courbé. Vous portez Monsieur, un poids lourdaud. Vous pouvez trouver la paix. Sincèrement, il espère que vous irez bien. Que vous comprenez que la vie peut. Il vous le souhaite, cordialement. » Lavra sentit une présence en levant une tête envahie par des phrases du bouquin. Une Ercoléenne se tenait debout devant lui. « Bonjour Lavra. » « Rasamosa ! Quelle belle surprise. »

CHAPITRE PREMIER

LE *FADIS 3*

Sa coque était noire, sans hublot visible. La construction du bâtiment avait été calquée sur les formes d'un animal marin géant Saurazien. Grâce à sa configuration, il plongeait à des profondeurs abyssales. À son corps, les profondeurs se distribuant également sur son anatomie, les ingénieurs adoptèrent la ligne hydrodynamique du cétacé. Le fuselage du *Fadis 3* reflétait les alentours immédiats, de l'espace. Malgré sa masse imposante, il se déplaçait à des vitesses vertigineuses. Il représentait l'*Union-de-L'Aura-Blanche*, le vaisseau le plus évolué jamais construit. Cinquante bâtiments de classe *Fadis* attendaient l'ordre de quitter leur port d'attache. Ils permettraient aux équipages de voyager sans escale.

Cette fois, les Sauraziens risquaient de perdre leur planète mère. Sauraze était déjà dans un état lamentable. Le complexe *Arc-en-Eux* installé sur Sauraze ainsi que sur sa lune, permettait d'arrêter la dégénérescence de son atmosphère. Sans raison évidente, l'aménagement sur le satellite naturel implosa. La planète se consumerait à plus ou moins longue échéance. Plusieurs années de guerres réduisirent la capacité de vie à sa plus simple expression. Il fallut le génie de plusieurs scientifiques, afin de garder sur Sauraze une amorce de vie. Elle redonna une existence à une planète qui n'avait pas demandé à la perdre. Quelques *Fadis* partirent à la recherche d'une réponse. Chaque astronef était gouverné par un équipage membre de *L'U. A. B.* Le regroupement de ces mondes signifiait des milliards de vies, capables de propager et de partager une somme de connaissances essentielles au maintien de la paix. Le *Fadis 3* était Saurazien. La perte de la planète Sauraze pourrait ébranler leurs raisons d'être membre de *L'U. A. B.*

Dagmar, du haut de ses huit pieds, repoussa ses longs cheveux blonds, afin de dégager un visage noble. La sage d'équipage examinait les environs immédiats ou très lointains d'un vaisseau qui lui rendait bien ses instructions. Elle donna l'ordre de lancer des sondes. Elles permettraient de signaler des lieux ou des phénomènes qui n'auraient pas de raison d'être au sein de l'espace connu. Lavra faisait partie des trois mille membres d'équipage. Il occupait une cabine depuis la fin de ses vacances sur Ercol. Il n'avait jamais vu un aussi beau vaisseau. Le *Fadis 3*, proposait des salles de bal, des gymnases, des locaux de récupération, des bibliothèques et des promenades embellies par des représentations panoramiques de paysages venant de planètes inscrites à *L'U. A. B.* Visiter le vaisseau prenait de deux à trois jours de marche. Lavra s'arrêta. Un plan du vaisseau était dessiné sur un des murs des nombreux corridors. Ses vingt étages lui conféraient l'impression d'être à l'intérieur d'une ville.

Dagmar dirigeait le navire aidé d'un ordinateur capable de raisonnement. Ses ramifications se centralisaient à la passerelle. De forme triangulaire, le centre de contrôle demandait à cinq spécialistes de présider les panneaux d'affichage sophistiqués. Le siège de Dagmar trônait au centre du triangle isocèle. « Ici Dagmar. Nous devons rejoindre d'autres vaisseaux amarrés à la station *Rose 6*. Il s'agit d'un message prioritaire. Veuillez vous préparer en conséquence. Fin du message. » Dagmar désactiva le canal des communications internes du *Fadis 3* en frôlant un carré dessiné sur l'accoudoir droit de son fauteuil. Elle se disait : « L'espace, c'est la beauté universelle de ce que nous sommes à l'intérieur de nous ». Dagmar se concentrait souvent sur des idées qui la passionnaient. Elle recevait en étrenne, un état de conscience élevé. Ces instants participaient à la santé psychologique de la sage d'équipage. Elle n'en était pas à son premier commandement. La Saurazienne était une des premières femmes à guider un vaisseau spatial. Dagmar possédait la faculté d'être en osmose avec son bâtiment. Son expérience lui rendait souvent service. La sage d'équipage devait aussi juger des événements survenant immanquablement entre les hommes et les femmes embarqués sur son astronef. Sa compétence n'était plus à prouver.

Le *Fadis 3* bourlinguait en direction de la station spatiale *Rose 6*. Dagmar demanda à son arroi de se diriger à la salle de conférence trois. « Messieurs Dames, vous savez sans doute que notre planète mère est en grand danger. Nous avons lancé des sondes. Trois de ces sondes sont revenues des limites de *L'U. A. B.* Nous scrutons les informations visuelles et écoutons les enregistrements, sans découvrir jusqu'à maintenant, des pistes ou des réponses concernant notre enquête. Je voulais aussi me présenter à ceux qui sont nouveaux. Je vous souhaite d'avoir du succès dans ce que vous avez à réaliser selon vos spécialités. Le *Fadis 3* vous remercie de votre présence. »

Les stations spatiales de *L'U. A. B.*, étaient distribuées selon une étude précise. Elles correspondaient à des sites stratégiques de l'union. Leurs structures étaient identiques. Elles faisaient dix kilomètres de circonférence. Les vingt tunnels d'embarquement accueillaient des vaisseaux de toutes les civilisations faisant partie de *L'U. A. B.* et parfois d'autres. La méga ville de l'espace s'ébauchait sur les écrans d'informations distribués à plusieurs endroits à l'intérieur du *Fadis 3*.

Lavra étudiait l'histoire de Sauraze en relisant des détails oubliés. Sa spécialité d'astéroséismologue lui permettait de comprendre le désastre, si la planète mère explosait. Il essayait aussi de détecter une cause à la démolition du complexe lunaire. Une raison était-elle possible à l'extérieur de Sauraze et sa lune ? Lavra travaillait sur les éventualités qu'un trou noir ou des naines blanches, bleues, grises, beiges, dans le halo de la galaxie, soient responsables. Lavra composa également des hypothèses concernant l'énergie noire. Pourrait-elle contrer des forces familières comme la gravité ? Le vide total n'existant pas dans l'univers, une réaction en chaîne serait vraisemblable. Lavra besognait pendant des heures, sans créer de confusion chez lui. L'histoire de la planète Sauraze pouvait-elle contribuer à trouver des raisons ? Il chercha en reculant dans le temps, en s'aidant de son ordinateur, il examina la préhistoire et la protohistoire de Sauraze. L'intérieur d'une planète âgée pouvait révéler des hypothèses intéressantes C'était pour Lavra un défi imposant et très motivant.

Les doigts longs et minces de Dagmar caressaient sa raison de vivre. Son vaisseau en était à ses manœuvres d'appontage. Encore un peu de temps et le pilote désactiverait les moteurs. Le tunnel d'embarquement des voyageurs s'ouvrit, l'accès à la station spatiale était possible. Dagmar demanda à son équipage de se rendre à la plus grande salle de conférence de la station, à vingt heures le lendemain.

Lavra ne se promenait pas au centième étage de la station pour la première fois. C'était le dernier et non le moindre. Le toit du palier était invisible. La pression de l'air retenait une couche épaisse d'une matière sans couleur. Les visiteurs vivaient une expérience saisissante. Lavra adorait voir les merveilles que lui offrait le lieu de stationnement de la station *Rose 6*. Lavra passait ainsi des heures à admirer. Parfois, il fermait les yeux pendant une minute. Lorsqu'il les ouvrait, l'univers lui accordait de nouveaux détails concernant le nuage bleu, les étoiles et les nuances de noir dans les environs immédiats de la station spatiale. Lavra les redécouvrait chaque fois. De minimes changements se décelaient, s'il regardait au bon endroit. Une Ercoléenne observait un Saurazien qu'elle pensait bien avoir reconnu. Sans trop de gêne, Rasamosa s'approcha, et toucha l'épaule du Saurazien. « Excusez-moi, je crois que, c'est bien toi Lavra ? » Lavra se retourna, il reconnut immédiatement Rasamosa. « Décidément, nous sommes faits pour nous revoir. Je suis content que tu sois là. N'est-ce pas extraordinaire ? » « C'est vrai, Lavra, c'est vraiment très beau, l'univers. » Rasamosa en profita pour s'asseoir près de Lavra. Elle le regardait intensément. « Lavra, je me suis ennuyée de toi. Tu n'as pas répondu à mon message, pourquoi ? » « Je ne sais pas, Rasamosa. Je n'étais pas sûr. Et puis on ne s'est pas revus. Je m'excuse, je ne savais pas quoi faire. Je ne suis jamais certain lorsqu'il s'agit de sentiments. » « Des sentiments, Lavra, mais c'est magnifique. As-tu des sentiments pour moi ? » « Oui Rasamosa, je sais, on ne se voit pas souvent, mais les événements que tu m'as fait vivre dans ma jeunesse et le moment où j'étais en deuil de Tuzal... Ta présence était toujours bienfaisante. Je ne crois pas au hasard, Rasamosa. Je suis peut-être un peu naïf, mais lorsque je suis avec toi, je suis complet. Je n'ai plus besoin de chercher ce qu'on appelle l'amour pour une autre personne. » Rasamosa appliqua ses lèvres sur celles de Lavra, et le temps s'arrêta. Ils partageaient un sentiment exclusif, le monde n'existait plus. Ils bénéficièrent d'une nuit céleste.

*

* *

« Rasamosa, Sauraze est la source de nos rêves. Elle est le nid de nos inspirations, avec ses paysages, ses nuages, ses vents, ses saisons, ses océans. Elle est une fontaine immortelle. Je veux savoir qui ou quelles manifestations ont attaqué notre planète mère », lui dit Lavra. L'appel du retour aux bâtiments respectifs s'était fait entendre par la voix du sage, Dagmar. Le communiqué résonna à travers *Rose 6*, ainsi que dans tous les vaisseaux amarrés à la station spatiale. « À tous les équipages, c'est Dagmar qui vous parle. Je représente présentement *L'U. A. B.* Je vous demande de réintégrer vos postes à bord de vos bâtiments. Je vous donne trois heures pour ce faire. Fin du message. » Lavra et Rasamosa devaient intégrer leur vaisseau. « N'oublie pas Lavra, nous devons maintenir un contact régulier. Les distances ne sont plus une raison. » « Rasamosa, je me ferai un devoir de communiquer avec toi, le plus souvent possible. Tu peux en être certaine. Je t'aime. »

Comme d'habitude, après une période d'arrêt du *Fadis 3*, une réunion de tout le personnel eut lieu. Dagmar parlait avec beaucoup d'assurance. Elle portait son uniforme officiel. Une simarre bleu foncé, décorée par des insignes et des plaques représentant des moments importants de la carrière du chef. Elle exhibait à son cou, un collier, il suspendait un talisman fondamental concernant l'histoire ésotérique de Sauraze. Ses cheveux descendaient naturellement sur des épaules robustes. « Je suis heureuse de vous revoir, membres de mon équipage, vous représentez le *Fadis 3* avec honneur. Notre mission se précise, des restes du complexe installé sur la lune de Sauraze ont été étudiés. La preuve a été faite, il s'agit bien d'un acte volontaire. La destruction de toute vie et même l'explosion de notre planète sont devenues une réalité. Nous partons immédiatement, la direction choisie est le système *TK5A*. Nous avons réussi à échanger avec les Baltuséens. Ils n'ont rien contre *L'U. A. B.*, mais pas de raisons valables de fusionner avec nous. Nous ne savons pas encore pourquoi les Baltuséens veulent nous rencontrer. Une confrontation est probable. Nous ferons de notre mieux afin qu'elle n'ait pas lieu. »

Le personnel du *Fadis 3* savait que la zone *TK5A* frôlait les limites de *L'U. A. B.* L'astéroïde Damien serait sans doute la destination. Son chemin orbital traversait les frontières de *L'U. A. B.* et celles des Baltuséens. Le voyage de deux à trois semaines permettrait-il à l'équipage de répondre à plusieurs questions ? Des équipes travaillaient à l'entretien du bâtiment. Une routine bien établie profitait au bon fonctionnement du vaisseau géant.

Les Ercoléens avaient dû faire face à une tentative d'invasion de leur planète. Les Baltuséens posèrent des vaisseaux de guerre sur Ercol. Ils venaient vêtus de leurs habits de soldats. De toute évidence, ils voulaient se battre. Les Baltuséens parlaient fort : « Les soldats méritent des soldats. Ce que vous regardez et ce que vous touchez nous appartient. Couchez-vous ou affrontez-nous, gens de la planète Ercol. Nous sommes là pour vous anéantir. » Les Baltuséens eurent la surprise de mourir avant d'accomplir leur besogne. Un virus endormi dans la morphologie baltuséenne revint à la vie avec une férocité rare. Un élément du sol ercoléen, activa la bête endormie. Les Ercoléens laissèrent partir les intrus. Ces événements se passèrent vingt ans avant la formation de *L'U. A. B.*

Rasamosa vivait avec des souvenirs sanguinaires provoqués par les Baltuséens. Des moments traumatisants s'étaient enracinés dans les neurones de la jeune femme. À cette époque, elle n'avait pas les mots pour exprimer ses peurs. Elles détermineraient plus tard un pourcentage de son comportement psychologique.

L'*Union-de-L'Aura-Blanche* s'efforçait de découvrir la base baltuséenne la plus proche. Le secteur *TK5A* n'était plus qu'à deux jours du *Fadis 3*. La passerelle du vaisseau Saurazien était silencieuse, les cinq spécialistes fixaient leur panneau respectif. Ils recherchaient la plus infime forme de vie, de sons ou de bruits venant de l'extérieur du bâtiment, aux abords d'un territoire moins connu de *L'U. A. B.* L'officier responsable des communications intercepta un message venant de la planète naine Damien. « Chef, j'entends une voix étrangère. Il s'agit de la langue baltuséenne. » La sage du *Fadis 3*, transmit sans tarder l'information aux autres *Fadis*. « Nous sommes dans les environs immédiats de l'astéroïde Damien. Il faut savoir pourquoi ils sont là ! Nous allons vérifier l'authenticité du message. » Des ordres de Dagmar furent communiqués afin de former une équipe. « Elle se posera sur Damien », un contact direct avec les Baltuséens était essentiel, afin de prouver leur présence sur l'astéroïde. « Avez-vous la traduction du message que vous avez capté, Monsieur ? », lui demanda Dagmar. « Oui Madame, il s'agit d'une invitation à les rejoindre sur Damien », lui dit le spécialiste des communications.

Un pilote, trois soldats et un traducteur prirent place à l'intérieur du *Strob*, l'une des navettes du vaisseau géant. Ils partirent à destination de la petite planète. Damien présentait une forme inusitée, il ressemblait à un anneau irrégulier, de deux cents kilomètres de rayons, son axe tournait lentement. La perforation demeurait un mystère. Le *Strob* se posa à bonne distance du bâtiment baltuséen. Le pilote actionna l'ouverture unique de la navette. L'absence d'atmosphère obligea les membres du groupe à porter un scaphandre autonome. « Dagmar, ici le responsable du groupe sur Damien. Nous avons un contact visuel. Un Baltuséen nous invite en se servant d'un de ses bras. » Les Baltuséens pouvaient vivre dans le vide de l'espace. Leur corps s'étirait à l'horizontale. Ils se déplaçaient sur quatre jambes, les quatre bras se situaient sur leur dos de chaque côté de leur colonne vertébrale. Un cou démesurément long se terminait par ce qui ressemblait à une tête. Il ne possédait pas de nez, d'oreilles, ni d'organes visuels visibles.

Les soldats sauraziens avançaient, arme au poing. Le traducteur et le commandant suivaient à bonne distance. Le Baltuséen maintenait son mouvement avec son bras, sans impatience, il encourageait l'équipe saurazienne à marcher plus vite. L'ennemi possible se tenait près d'un sas de la bâtisse, il savait que l'équipe invitée éprouvait des craintes. Les membres du groupe saurazien communiquaient entre eux avec des signes de la main. Ainsi, le Baltuséen ne comprenait pas ce qu'ils se disaient. Les deux soldats se tenaient à présent à vingt mètres de l'allié potentiel. Les hommes d'armes se protégeaient en se cachant derrière des rochers. Ils purent vérifier que le Baltuséen n'avait pas d'armes. Après quelques pas, les soldats armés arrivèrent de chaque côté de l'extrasolaire. Leur présence ne sembla pas le perturber. En voyant que tout se déroulait bien, le traducteur et le chef de la mission s'approchèrent du personnage. « Que faites-vous ici ? Vous êtes en violation. La planète naine, Damien, fait partie du territoire de *L'U. A. B.* », lui dit le chef de la petite équipe saurazienne. « L'orbite de votre astéroïde, comme vous dites, passe par notre juridiction. Nous avons le droit de nous y installer. Nous ne considérons pas votre union, comme étant singulière », répondit le Baltuséen. L'équipe saurazienne eut la surprise de constater que l'étranger parlait le Saurazien.

Il continua son discours. « Vous savez, Messieurs, vous avez des prétentions que nous n'avons plus. Si vous voulez me suivre, nous serons mieux à l'intérieur. » Le chef Saurazien prit le temps de demander la permission à Dagmar. « Vous l'avez. Activez vos parlophones[5] en permanence. » Le décideur du groupe saurazien demanda au traducteur de demeurer à l'extérieur du bâtiment, afin d'avertir de tout changement important. « Nous acceptons, nous vous suivons », lui dit le chef des invités. Le commandant considéra l'enceinte, pas de meubles, ni d'ouvertures sur l'extérieur. Le sas n'était plus visible. Les membres sauraziens pouvaient être des prisonniers. Un écran géant cachait une partie du mur blanc décoré par des écrans. Ils laissaient voir des calligraphies que le commandant essayait de comprendre. Le Baltuséen se dirigea vers l'écran principal, il le toucha et parla en baltuséen, avec un comité de ses pareils apparus sur la toile électronique. L'équipe saurazienne eut un mouvement de recul. Les soldats pointèrent leurs armes. Le Baltuséen ne sembla pas dérangé par la situation. L'écran se désactiva et le Baltuséen prit la parole. « Nous n'avons pas l'intention de vous retenir, mais nous aimerions qu'un représentant connaissant les principes d'astrophysique et de séisme nous accompagne ». « Les Baltuséens n'ont jamais donné signe de vie. Ils ont toujours évité d'être en contact avec *L'U. A. B.* Pourquoi sont-ils convoiteux maintenant ? », se demandait Dagmar. Le Baltuséen reprit la parole.

[5] Parlophone : l'équivalent d'un téléphone cellulaire.

« Vous savez, il n'y a pas que votre organisation dans l'univers. L'espace n'est pas un lieu privé, vous avez tendance à le penser. Vous voulez savoir pourquoi nous avons besoin de vous ? Je vais vous le dire. En construisant cette base, nous savions qu'elle serait découverte par votre organisation. Un vaisseau se pointerait afin de vérifier les données reçues par une de vos sondes. Des générations d'apprentissage nous ont aidés à comprendre que les armes devaient se taire. Nous nous présentons donc avec le même problème que vous. Notre planète fondamentale est en train de se consumer. Nous espérons que le complexe que nous avons bâti sur Damien pourra devenir la base d'une nouvelle relation entre nos deux solitudes. Notre collaboration afin de trouver les raisons de la destruction imminente de nos planètes sera pour nous la confirmation que nous pouvons avoir confiance en vous. » « Dagmar, nous avons une situation stable. Il nous demande la permission qu'un de nos spécialistes parte avec eux », lui dit le chef de l'équipe saurazienne sur Damien.

« Bonjour à vous, je suis le sage d'équipage du vaisseau *Fadis 3*. Je représente l'*Union-de-l'Aura-Blanche*. Seriez-vous disposé à l'idée d'un échange ? Nous prêteriez-vous un de vos spécialistes avec les mêmes connaissances ? » « Oui », lui répondit le Baltuséen, « sans aucune hésitation. » « Je dois communiquer ce que nous venons de nous dire. Donnez-moi quelques minutes », lui dit Dagmar. » « Certainement Madame, je vous attends. » Grâce au parlophone que le chef d'équipe portait sur lui, Dagmar eut la possibilité d'entendre en direct toute la discussion avec le représentant baltuséen. Dagmar entra dans la chambre des communications entre sages, de son bâtiment. « Salutation à tous, nous avons découvert comme je vous l'ai déjà communiqué, une base baltuséenne, sur Damien. Je recommande la construction d'un chef-lieu sur la petite planète. Nous pourrions ainsi produire une correspondance immédiate avec les Baltuséens. Ils nous disent avoir des difficultés identiques à celles que nous avons sur notre planète mère. Ils nous demandent de leur prêter un spécialiste. Je vous propose Lavra, il possède les connaissances nécessaires afin de les accompagner au sein de leur enquête. Je vous conseille également la nomination de Rasamosa, elle dirigera le complexe que nous construirons sur Damien. Rasamosa possède une vaste connaissance du peuple baltuséen. »

*

* *

Dagmar recommença à délibérer avec le Baltuséen. « Comment avez-vous su pour notre planète ? » « Vous dirigez un magnifique vaisseau. J'entends votre voix et je suis rassuré. Nous avons un problème presque identique. Nos planètes se meurent, selon nos sources de renseignements, Sauraze est depuis moins de temps en perdition. Nous avons des espions chez vous. Vous en avez aussi, j'en suis convaincu, à l'intérieur de notre système. Vous voyez à quel point nous vous faisons confiance. Nous sommes à la limite de notre investigation. Sans votre aide, notre planète va exploser, en laissant un grand vide dans notre raison de vivre. Nous n'avons plus le choix, il faut vous demander de nous aider. » Le silence se prolongea permettant aux intervenants d'étudier leur situation. Des êtres devaient prendre une décision importante. Deux univers essayeraient de collaborer. Ils ne faisaient que se regarder depuis des centaines d'années. Dagmar obtint la réponse. « Merci à tous les sages des *Fadis*. Je vais immédiatement transmettre la réponse. » Dagmar lut le document avant de le faire connaître au représentant baltuséen. Dagmar devina le résultat, ses recommandations étaient toutes gagnantes. « Ici Dagmar, j'espère que vous êtes toujours intéressé, votre demande a été acceptée, sous condition : la construction d'une base de *L'U. A. B.* sur Damien afin de créer des liens permanents entre nos deux mondes. Nous attendons votre décision. » Le Baltuséen regarda le chef du groupe et les deux soldats Sauraziens. « Messieurs, nous n'avons pas besoin de communiquer avec notre chef, le grand *Zélie*. C'est oui, nous sommes fiers de collaborer avec des Sauraziens. Vous ne regretterez pas votre décision. Nos relations ne pourront que créer une société nouvelle. » L'équipe saurazienne quitta la base des nouveaux alliés afin de se diriger vers le *Strob*. Dès que les membres se retrouvèrent dans l'habitacle, la navette décolla en direction du *Fadis 3*.

Dagmar conversait avec Lavra. Elle le convoqua dans son bureau officiel. Des tableaux représentant des scènes de l'histoire de Sauraze, étaient accrochés à trois des murs de la pièce. Les événements étaient grandeur nature. Des paysages, des hommes et des femmes y étaient peints. Une immense bibliothèque prenait toute la surface du mur terminant la pièce à l'arrière de la table de travail de Dagmar. Lavra était surpris, la sage invitait rarement une recrue à l'intérieur d'un lieu presque secret. Lavra se présenta avec une coiffure qu'il aurait aimée un peu plus courte. Il s'avança nerveusement en examinant les chefs-d'œuvre exposés sur les murs. « Prenez siège, Lavra », lui demanda Dagmar. Lavra s'aperçut que le tapis avait gardé l'empreinte de ses souliers usés. Son habit trop petit, et sa chemise blanche, défraîchie, lui enlevait toute confiance, en lui. « Lavra, êtes-vous bien ? », lui demanda Dagmar. « Oui Madame, je me demande seulement pourquoi vous m'avez convoqué. Je suis ainsi, lorsque je suis dans des situations imprévues, je panique un peu. » « Vous n'avez rien à craindre, Lavra. J'ai une mission pour vous, je suis persuadé que vous avez la santé et surtout les connaissances scientifiques afin d'apprivoiser votre défi. Vous avez trois jours pour étudier une fraction de la technologie baltuséenne. Ces trois jours se passeront à la base qu'ils ont construite sur Damien. Par la suite, vous partirez avec eux. Vous travaillerez sur le phénomène qui détruira Baltus si rien n'est fait. Naturellement, vous nous fournirez un rapport régulièrement. Qu'en pensez-vous, Lavra ? Vous avez compris que je ne vous donne pas le choix. La situation est trop urgente. » « C'est un privilège, je ne vous décevrai pas. Merci Madame. » « Très bien Lavra, vous partez demain pour Damien. »

Lavra quitta le bureau de Dagmar, absorbé par une énergie passionnante. Il devenait un homme neuf. La journée lui servit à se préparer, n'oubliant pas Rasamosa. Il échangea avec elle. « Rasamosa. » « Oui Lavra. » « J'ai une grande nouvelle, je vais partir avec les Baltuséens. Dagmar m'a demandé de voyager avec eux en direction de leur planète. L'idée c'est de comparer Sauraze et Baltus. Nous aurons ainsi plus de chances de trouver une riposte à la destruction de nos planètes. Je suis fier de participer à cette entreprise. » « C'est extraordinaire Lavra, j'ai eu l'ordre de diriger la future base saurazienne sur Damien. Les relations entre le monde des Baltuséens et *L'U. A. B.* deviendront importantes. Nous allons vivre des moments historiques, il faut être à la hauteur. » « Oui Rasamosa, le périple en direction de Baltus risque d'être long. L'aventure m'appelle Rasamosa. Nous devrions prendre l'habitude de synchroniser nos moments de repos. J'aime ta voix, elle me berce, elle me masse aux bons endroits », lui dit Lavra. « Mon amour, faisons l'amour incorporel. Veux-tu ? », lui demanda Rasamosa. L'Ercoléenne était encore loin de la base des Baltuséens sur Damien. Ils pratiquaient depuis des décennies une technique permettant de vivre de vraies sensations organiques, sans la présence physique des amoureux. L'excitation devenait un état réel. Rasamosa dirigea Lavra. « Détends-toi, ferme tes yeux. Tu vois une zone de mon corps. Elle te révèle une ressemblance avec une région de ton corps. Nous sommes maintenant proches de nos endroits symbiotiques. Ils se touchent lentement, nous voyons de plus en plus d'autres espaces à découvrir sur nos visages, nos genoux et nos dos. Et puis, nos deux corps nus se reconnaissent. Encore un pas et nous nous embrassons avec une intensité inconnue de nous deux. Nos corps volent sous l'emprise d'un amour brillant. » La vie entre Lavra et Rasamosa se détendait, elle prenait sa place en enrobant un tandem heureux.

CHAPITRE DEUXIÈME

LA PLANÈTE NAINE DAMIEN

La petite planète Damien tournait sur elle-même. Cette action lui attribuait une attraction suffisante pour retenir les astronautes sur sa surface. Les bâtiments baltuséens et ercoléens étaient éloignés de dix kilomètres. Les complexes s'enracinaient à l'intérieur de l'anneau de l'astéroïde. Les édifices étaient ainsi protégés des météorites et d'autres formes solides. Malgré cela, ils ne manquaient pas de venir vérifier la solidité des habitats. Rasamosa besognait comme jamais. Elle pouvait compter sur une équipe multidisciplinaire. Des représentants de plusieurs planètes de *L'U. A. B.* participaient à l'élaboration de documents officiels en ce qui concernait les relations avec les Baltuséens. L'Ercoléenne essayait aussi de découvrir une manière de faciliter les échanges d'informations. Les Baltuséens se montraient sur la défensive. Des réponses plus complètes auraient peut-être révélé une façon efficace de parlementer. Parfois, il fallait interrompre des réunions, faute d'obtenir des solutions. Elles n'étaient pourtant pas si complexes à trouver. Les relations entre les Baltuséens et *L'U. A. B.* se révélaient ardues.

*

* *

La porte se referma sur une femme heureuse de revenir sur Ercol. Rasamosa créa, dans son appartement, un entourage correspondant à un paysage et à une température ercoléens. Elle s'étendait sur son matelas. Rasamosa lui ordonnait un mouvement relaxant, elle devenait la reine des lieux. L'Ercoléenne n'avait plus de peine, que des sourires. Son corps était devenu un pur-sang, le temps n'était plus important. Rasamosa accueillait maintenant son éternité. Ces instants étaient vitaux pour une femme fragile aux émotions négatives trop fortes. Rasamosa représentait l'*Union-de-L'Aura-Blanche*, sur un rocher à des milliards d'années-lumière de sa planète. Damien se déplaçait à vitesse constante sur une route invisible. La solitude de la petite planète lui accordait une protection existentielle. C'était un site neutre, l'astéroïde devenait un lieu embelli par de nouveaux bâtiments. Rasamosa et Louka, l'ambassadeur baltuséen, encourageaient les organismes intéressés à participer aux négociations.

Lavra voyageait en compagnie d'un équipage baltuséen. Leur vaisseau était beaucoup plus petit que les bâtiments *Fadis*. Le plafond des corridors était bas, le physique baltuséen ne dépassait pas un mètre et demi de haut. Lavra se déplaçait le dos courbé ou il fléchissait les genoux. Le *Valtol,* nom du vaisseau baltuséen, se laissait guider par le Grand Timonier. L'astronef voguait depuis plusieurs années. Construit pour faire la guerre, le *Valtol*, subit des transformations. Il réalisait maintenant des expéditions scientifiques. Des appareils de recherches remplaçaient les machines de combat. L'astronef *Valtol* était plus haut que large, son intérieur était sans décorations, les murs des corridors étaient gris, noircis à certains endroits. Les créations artistiques n'avaient pas de sens, au sein de leur civilisation.

Lavra travaillait avec plus de facilité. Il réussissait à manœuvrer les ordinateurs baltuséens. L'aide du Grand Timonier lui était malgré tout essentielle. Il rejoignait régulièrement Lavra dans les locaux réservés au Saurazien. « Mon ami, vous achevez votre initiation avec notre technologie. Nous arriverons dans la région immédiate de Baltus dans une semaine. Vous connaissez suffisamment notre planète. Je voudrais que vous produisiez des hypothèses et surtout des réponses concernant l'éventuelle destruction de Baltus. Nous vous avertirons lorsque nous serons en orbite éloignée de notre planète Baltus », lui dit le Baltuséen. La planète n'avait pas d'atmosphère; c'était là, la plus importante différence avec Sauraze. Lavra devait étudier une planète qui n'avait pas d'histoire touchant les éléments composant une masse d'air. Les occupants vivaient à l'intérieur d'un astre de même gabarit que Sauraze. Les Baltuséens bâtissaient depuis des milliers d'années des villes, des usines, des centres de recherches et des complexes produisant des produits de consommation. La surface de Baltus servait aux relations entre les civilisations connues des Baltuséens. Des bases militaires surveillaient des ennemis possibles. Le vide de l'espace leur permettait la construction de vaisseaux spatiaux à quelques mètres du sol de leur planète. Lavra constata que de nombreux sites dans les profondeurs de Baltus étaient usés depuis peu. Des déplacements de différentes couches de minéraux avaient sûrement eu lieu et d'autres surviendraient. Lavra en était persuadé.

*
* *

Le *Valtol* orbitait maintenant autour de la planète Baltus. Lavra et le Grand Timonier fixaient les écrans. « Depuis quand avez-vous constaté que votre planète se déstabilisait ? », demanda Lavra. « Mon ami, un terrible tremblement de notre sous-sol. Il causa la destruction de plusieurs de nos villes souterraines. L'évacuation de Baltus s'est avérée difficile, beaucoup de nos gens sont morts coincés ou carrément ensevelis. Les survivants se sont réfugiés sur une autre planète. Mon ami, un enregistrement sonore, transmis par un de nos satellites, nous confirma qu'il ne s'agissait pas d'un phénomène naturel. La présence d'un faisceau adynamique fut captée. Il nous était impossible d'en repérer la provenance. Nous ne connaissons pas d'énergie capable de provoquer un pareil désastre, avec une aussi faible densité. » Lavra et le Grand Timonier se regardèrent en comprenant qu'il était trop tard pour sauver Baltus.

*
* *

Baltus présentait une étendue fracturée. Elle frissonnait. Ses cratères se fermaient ou s'ouvraient. Son état arborait une destruction inévitable. Le noyau de la planète se battait contre une puissance venue d'un coin noir de l'univers. La masse énigmatique poussait sur le magma de Baltus. Le fluide gras au centre de la planète s'accrochait. Il voulait demeurer dans son lit. L'efficacité de la matière inconnue était obstinée. Elle provoquait une pression épouvantable sur les parois solides de la sphère située au centre de Baltus. Le magma devait découvrir des fêlures, afin de pénétrer une surface compacte. L'amas anonyme bousculait. Il chassait le liquide baltuséen, sans quartier.

Au même moment, Sanin le Baltuséen et Dagmar lisaient des documents et exploraient des diagrammes. Les deux scientifiques voulaient trouver la source d'une énergie redoutable. Était-il possible que ce phénomène soit analogue ? S'était-il attaqué à Sauraze et Baltus ? « Sanin, ne croyez-vous pas qu'il serait temps de se parler vraiment ? », questionna Dagmar. « Nous collaborons afin de faire de Damien un lieu de partage. Pourquoi pensez-vous que nous voulons vous détruire ? » « Dagmar, ne pensez-vous pas qu'il serait temps de ne plus rien se cacher ? Vous n'avez plus de raisons d'avoir des craintes. Nous avons appris de nos erreurs. Je crois fermement que nous devons travailler ensemble, nos planètes méritent de faire l'impossible. Nos relations deviendront, j'espère, plus harmonieuses ! », lui dit Sanin avec un peu de dépit. « Retournons si vous le voulez à ce que nous devons réaliser », lui dit Dagmar, de l'exaspération dans la voix. Ils étudiaient le complexe *Arc-en-Eux*. Le temps pressait, Sauraze montrait une surface brisée à plusieurs endroits. Le *Fadis 3* orbitait autour de Sauraze. Dagmar accepta la présence d'un Baltuséen à bord de son vaisseau. Il fallait faire vite, l'état de Sauraze était très inquiétant.

*
* *

Lavra et le Grand Timonier baltuséen ne pouvaient qu'être spectateur de la fin de Baltus. Le *Valtol* était en danger imminent, il fallait prendre une décision. Lavra et le Grand Timonier n'osaient pas se regarder. « Monsieur, il faudrait quitter, Baltus va exploser d'un instant à l'autre », lui dit Lavra. « Je sais Lavra », lui dit le Grand Timonier. « C'est une décision que je ne peux prendre seul. Je dois communiquer avec le chef de toutes nos planètes, notre glorieux Zélie. »

Une matière brûlante de cent mètres d'épaisseur s'écoulait sur la surface de Baltus. La planète étouffait. « Communiquez avec votre chef », lui demanda Lavra impatiemment. Zélie répondit : « Quittez immédiatement ». Le *Valtol* quitta sans délai. Une heure plus tard, le vaisseau était en sécurité. L'équipage du *Valtol* fixait leur écran. Ils attendaient le moment funèbre. Soudain, une immense boule de feu envahit toute la surface de leur terminal. Baltus n'existait plus.

Au même instant, Dagmar et Sanin donnèrent l'ordre à tous les vaisseaux de quitter les environs de la planète Sauraze. « Sanin, nous venons d'être avisés. Baltus n'est plus », lui déclara Dagmar. Sanin dit à Dagmar : « Il faudrait chercher à l'extérieur de ce que nous connaissons à l'intérieur de nos deux univers. La destruction de notre planète me demandera quelques heures de méditation, il s'agit d'une réaction normale. N'est-ce pas ? » Sanin s'exprima difficilement. « Certainement, vous pouvez quitter si vous voulez », lui dit Dagmar. « Vous savez, chez nous, si je peux m'exprimer ainsi, maintenant, les douleurs émotives se vivent par télépathie. Je dois donc me retirer afin de créer une voix mentale avec mes semblables. Je vous reviendrai. »

*

*   *

Le vaisseau *Fadis 3* était en sécurité. L'*Union-de-L'Aura-Blanche* perdait Sauraze. La mort n'était rien si on considérait Sauraze comme une abscisse. Elle deviendrait invisible, pour des milliards de galaxies. Tout mourait et renaissait, c'était la loi de la troisième dimension. La lune de Sauraze se détacha de son orbite. La poussée que la planète moribonde lui donna en se gonflant, fit de son satellite naturel une voyageuse sans fin. Les Sauraziens du *Fadis 3* regardaient leur planète. Un spectacle de cauchemar se présentait à eux, certains pleuraient, d'autres se tenaient la tête en se fermant les yeux. Une brèche ouvrit la surface de Sauraze, ses minéraux s'évadaient, le roc devenu liquide se dispersait lentement dans le vide. Puis le noyau, ou ce qu'il en restait, explosa en mille faisceaux de feu. Bientôt, il ne restera plus rien de Sauraze. Les Sauraziens fixèrent un lieu à jamais historique. Deux planètes rendirent leur âme. Elles étaient des représentantes d'un devenir que l'on appelait l'évolution. Les Sauraziens et les Baltuséens regrettaient leur planète, ils savaient qu'ils devaient continuer à exister. C'était dorénavant leur raison de vivre.

*

* *

Zélie investiguait. Sanin le savait. Le chef des Baltuséens manœuvrait à la rencontre du *Fadis 3*. Le *Tumulus* de l'espace protégeait Zélie. Le Commandeur des Baltuséens était à demi humain et cybernétique. À l'intérieur du *Tumulus*, une vaste pièce, en son centre, une forme bougeait. Elle était cachée par un mur de couleurs irradiantes, il l'entourait. Zélie était la somme de la culture non seulement baltuséenne, mais également des planètes qui représentaient l'organisation que Zélie dirigeait. Des statues plus grandes que nature encerclaient le maître. Elles représentaient des héros à leur époque respective.

Zélie revenait de régions à risques. Le *Tumulus* passa près d'une planète, qui bouillait parce que son soleil était trop proche, et devenait de glace, lorsqu'elle était à l'apogée de son orbite. Malgré ses caractéristiques, l'astre abritait la vie. L'espace était multicolore, il n'était pas mort. Zélie mémorisait sans limites, il affrontait des manifestations sans mettre en danger des existences. Il témoignait de transformations inimaginables se produisant sur des mondes sans vies devinables. Il voyageait maintenant parce qu'il voulait découvrir les causes de la destruction de Baltus et de Sauraze. Il était à une grande distance du *Fadis 3*.

L'astre était-il vivant ? Zélie décida de le suivre. Des canons faisaient le tour de la petite planète. Des jets rouges sortirent de tous ses canons, à proximité d'une géante gazeuse, les émissions rouges ne frappèrent pas la planète multicolore. Mais, elles causèrent des changements appréciables, les couches de gaz de la géante étaient attaquées par une force puissante. Elle déséquilibra, pendant un bon moment, la circulation des vapeurs de la géante. Cet incident provoqua plusieurs explosions thermonucléaires. Apparemment, le vaisseau anonyme ignorait la présence de Zélie. Ses canons se turent pour recommencer à des millions de kilomètres plus loin.

Brusquement, la planète naine disparut en laissant une circonférence d'émanations, comme si elle venait d'une autre dimension.

Zélie voyageait à grande vitesse. Soudain, l'un de ses capteurs détecta des muons. Ces particules traversèrent facilement les parois très épaisses du *Tumulus*. Si rien n'était fait, elles détruiraient des zones essentielles à la survie de Zélie. Les muons se déplaçaient en essaims. Zélie besognait sans interruption. Les muons étaient repérés, la première phase se terminait. Il s'agissait à présent de contrôler l'hémorragie. Zélie n'avait pas besoin de repos, heureusement, car les muons commençaient à déséquilibrer le système de navigation. Le *Tumulus* devait compenser suivant les ordres de Zélie. La bataille s'avérait presque inutile, Zélie était loin de s'avouer vaincu. Le *Tumulus* s'immobilisa, son maître désactiva toutes les sources d'énergie. Les muons n'avaient plus de quoi se nourrir, ils décidèrent de partir dans le vide de l'espace, c'était leur demeure. Les amas de cellules finiraient par dénicher un autre astronef ou une énergie inconnue. Peu importe la source, les muons s'y attaquaient convulsivement. Zélie laissa le *Tumulus* dériver dans l'espace, pendant un bon moment. Il ne prenait pas de risques, les cellules composant les muons pérégrinaient sans remords, ils étaient encore proches.

Le *Tumulus* et Zélie étaient comme corps et âme, ils bourlinguaient en souhaitant découvrir, résoudre, obtenir et trouver des solutions. Zélie méditait : « Pourquoi j'admire la peur ? Pourquoi j'aime le bonheur ? Pourquoi vivre ? Aux extrémités de l'univers, les opposés s'annulent dans un amalgame de fluides et de vapeurs rares. Le boson de Higgs, voilà la raison de nos incertitudes observables. Il représente le Graal des particules, la fin fondamentale de toutes nos quêtes ». La présence de Zélie confirmait la possibilité de repérer le Graal des microcellules.

*

* *

Dagmar et Sanin étaient en conversation dans une des salles de détente du *Fadis 3*. Ils essayaient de comprendre. « Sanin, nous avons, je crois, un début de réponse. L'énergie que vous avez détectée, vos appareils n'arrivaient pas à déceler la région de l'univers d'où elle provenait. Votre équipe de scientifiques a-t-elle étudié la matière noire ? Supposons qu'un extrasolaire ait réussi à construire une arme en concentrant la force composant la matière noire. Selon vous, est-ce possible ? », lui demanda Dagmar. « Tout est possible mon ami. Il y a aussi l'énergie sombre qu'il faudrait étudier de plus près. Nous en savons plus concernant la matière noire. Vous savez sans doute qu'elle régit la densité de l'espace dans laquelle nous vivons. Cette force dérivée du vide quantique, produit des particules subatomiques et exerce une gravité qui n'est pas attractive, mais répulsive. La question est, la technologie d'un monde que nous ne connaissons pas, peut-elle condenser et contrôler cette énergie ? Et surtout pourquoi s'attaquerait-elle au même moment à nos planètes respectives ? Inutile de vous dire que je n'ai pas de réponse, Dagmar. » Dagmar prit la parole. « Évidemment, nous n'en sommes qu'au début. Nous aussi, nous avons réalisé des recherches sur le phénomène de la matière noire. Nous savons aussi que l'énergie sombre est regroupée en halo, à la frontière de notre galaxie. D'après nos calculs, il y aurait à l'intérieur une masse dépassant et de loin ce que nous, Sauraziens connaissons. C'est un lieu où il se passe des phénomènes inexplicables. Sanin, nous savons qu'une étoile explose à chaque seconde. L'univers nous prépare des surprises aux demi-secondes. Une dualité des ondes particules, ne respecte aucune règle de la physique connue de nos deux mondes. C'est la loi de la découverte d'une nouvelle réalité », lui disait Dagmar

Au même instant, Lavra et le Grand Timonier étaient aux commandes du *Valtol*. Ils décidèrent de prendre la direction de la station *Rose 6*. Ils communiquèrent difficilement avec Zélie. Le Grand Timonier ne savait pas pourquoi le Commandeur, avec toute sa puissance, ne réussissait pas à capter leur message. Lavra et le Baltuséen se dirigeaient vers la station, sans la permission de Zélie. Dès qu'ils le pourraient, ils annonceraient leur décision au chef des Baltuséens.

Le directeur des laboratoires de la station *Rose 6* permettra à Lavra et au Grand Timonier d'effectuer des expériences de haut niveau. Ils se montraient très motivés, Lavra et le Baltuséen développaient une amitié profonde. Le *Valtol* n'était plus qu'à quelques heures de la station spatiale *Rose 6*. Le vaisseau baltuséen capta un message de Zélie. « J'ai bien reçu votre communiqué, Messieurs, je suis en direction de la station *Rose 6*. Je vous demande de m'attendre. Dagmar et Sanin ne tarderont pas à vous rejoindre. Le *Fadis 3* se trouve à une semaine de distance. Je participerai à une rencontre. Elle sera d'une importance sans précédent. Rasamosa et Louka seront aussi présents. Le *Fadis 3* fera une escale afin de les récupérer sur Damien. »

CHAPITRE TROISIÈME

ZÉLIE

Dagmar, Sanin, Rasamosa, Louka, Lavra et le Grand Timonier focalisaient leurs corps et leurs esprits sur un but. Zélie leur proposa d'écouter un texte et de partager par la suite sur ce qu'ils auraient compris. Ils sont installés à l'intérieur d'une des salles de conférences de la station spatiale *Rose 6*. Zélie commença à lire, sa voix provenait du système de son de la salle de conférence. Il disait : « Les souvenirs leur font mal. Un orage de projectiles, ils sont allongés sur une plage de barres de fer, rongées par les vagues. Les guerriers ont les pieds dans la boue. Elle les enlise, ils sont morts le crâne ouvert, leur corps grouillant de parasites. Les militaires ne sont plus là, ils dorment sans rêver, ne sachant plus où ils sont. Les Soldats ne sont sûrs que d'une chose. Ils ne se demandent plus s'ils vont mourir, ou s'ils vont pourrir. Ils sont juste à l'intérieur d'un moment qui ne semble pas s'écouler. Les hommes et les femmes se mirent à danser sans tristesse et sans joie en exécutant des mouvements souples et des déplacements en couples ». Un silence prolongé finit par encourager Zélie à reprendre la parole. « Ce que je viens de vous lire provoquera chez vous une autoévaluation. Elle vous permettra j'espère, de comprendre que la violence est la preuve que les adversaires ont démissionné d'une belle aventure. Découvrir ensemble une solution pacifique, s'avère beaucoup plus solide. La paix réalisée avec des procédés nobles est le présage d'une vie stable sur une très longue période de temps. Nous aurons plusieurs atouts en travaillant ensemble, en vue de créer enfin, une acceptabilité de nos différences. Je voudrais vous proposer de devenir mon arroi. Nous pourrions additionner une somme de connaissances, jamais réalisées dans nos mondes connus. Je peux vous offrir tout ce dont vous aurez besoin de manière à œuvrer sur vos dossiers. Dans la négative, je vous offrirai mon accompagnement. »

Lavra et Rasamosa se retrouvèrent. Ils s'étaient donné rendez-vous à la place des étoiles sur le toit de la station spatiale. La vue était toujours aussi spectaculaire, les nuages stellaires exhibaient leur plus beau manteau. Le tandem s'embrassèrent tendrement, se touchèrent et se frôlèrent. Le couple amoureux s'écoutait, se pénétrait doucement. Lavra et Rasamosa étaient nus devant la vie, l'éternité et l'immensité de l'espace. Une chaleur intense d'amour leur alloua un cadeau éternel. Une petite boule d'énergie blanche bougeait entre eux, au niveau de leur cœur, le duo était de nouveau ensemble, ils étaient seuls devant une immensité pleine de vie.

Zélie représentait pour les Baltuséens une légende. Avant, leur chef guerroyait férocement, tuer était sa devise. Il expérimentait sur des corps encore vivants, des méthodes empreintes de sadisme, juste pour le plaisir de faire souffrir ses adversaires, le plus longtemps possible. Sa réputation dépassait de loin les limites de la planète Baltus. Zélie commandait un bâtiment érigé pour détruire d'autres vaisseaux et des peuples faciles à combattre. Le dictateur travaillait à remplir les coffres baltuséens de richesses et de nouvelles technologies Il pouvait aider ses militaires à s'asperger de sang encore chaud. Zélie représentait la perversité dans toute son efficacité.

Entre deux destructions, Zélie besognait sur papier, en dessinant des ébauches de vaisseaux étranges. Le futur astronef parcourra de grandes distances sans jamais d'escales. Zélie amorçait une nouvelle notion de sa conscience. Il ne savait pas pourquoi, c'était peut-être un rêve. Cinquante ans de massacres, il ne savait plus dénicher de nouvelles façons de torturer. Un dégoût s'installa chez lui, une réaction biologique posséda son corps. Une forte douleur l'empêchait de respirer. Lorsqu'il esquissait sans relâche, l'irritation diminuait, sans qu'il ne sache pourquoi. Grâce à certains collègues, Zélie amorça la construction du bâtiment secret. Plusieurs années passèrent, il n'était plus un sanguinaire. Il devenait un Baltuséen sans arme sur lui. Une décennie passa. Zélie débuta une vie de conférencier, il parlait souvent devant une salle vide. Elle l'encourageait à parler plus fort. Des Baltuséens l'écoutaient en se cachant, encore un peu de temps, ses pareils rempliraient à moitié les centres de conférences de plusieurs planètes.

Le bâtiment de Zélie était presque terminé. Il était camouflé par un troupeau de naines bleues, grises et blanches. Le cimetière d'étoiles à l'agonie masquait le complexe. Un rocher de cinq cents mètres de long et de trois cents mètres de large, servirait de coque au vaisseau de Zélie. Un groupe de Baltuséens fidèles à Zélie construisirent l'astronef à l'intérieur de la masse coriace. Le cercueil géant protègerait Zélie et lui permettrait de prolonger sa vie. Il savait que sa douleur s'avérait incurable. Juste avant de mourir, il demanda à ses élus d'installer son corps à l'endroit prévu, Zélie devait être branché de son vivant au reste de la technologie de pointe. Le tout devait être connu par les Baltuséens comme étant le sarcophage de Zélie. Le *Tumulus* était né.

Une autre réunion eut lieu, elle permit aux représentants Sauraziens, Ercoléens et Baltuséens d'en arriver à une décision. Dagmar, l'élu de tous les membres, parla. « L'idée de quitter la station spatiale *Rose 6* à bord du *Tumulus* a provoqué des discussions ambivalentes. Nous, les Sauraziens, demandons aux Baltuséens une preuve de leur motivation à élucider notre enquête. » « La seule réponse que nous pouvons vous exprimer, c'est que Zélie est, depuis des années, celui qui nous a enlevé le besoin de tuer à tout prix. Vous avez la parole de notre Commandeur. Il représente ce que nous sommes devenus et nous en sommes fiers », lui dit le Grand Timonier. Le Baltuséen ajouta après avoir aspiré une bonne gorgée d'air, que c'était là, la seule preuve qu'il concédait aux Sauraziens. Zélie demanda la parole. « Mesdames et Messieurs, vous devez me considérer comme un membre neutre dans l'expédition que je vous propose. Je vous déclare que je n'ai plus de racines sur la planète Baltus n'en déplaise aux Baltuséens. Ma neutralité est un gage de ma responsabilité envers vos civilisations. Je me considère comme faisant partie de l'Univers connu et inconnu. Dès à présent, je peux vous dévoiler que j'ai déjà une piste à étudier. Vous avez tout à gagner en me faisant confiance. »

Les Sauraziens appareilleraient à bord du *Tumulus*. Lavra et Dagmar savaient ce qu'ils faisaient. Les Baltuséens Louka, Sanin et le Grand Timonier suivraient Zélie. L'Ercoléenne Rasamosa était déjà à l'intérieur du *Tumulus*. Sa décision était prise depuis l'invitation de Zélie. Le *Tumulus* avançait vers son destin. La galaxie tournant sur elle-même, Zélie utilisait ce mouvement afin de déceler des raccourcis. Il pourrait rejoindre les sites éloignés en moins de temps. Zélie étudiait, ainsi que ses invités, des réseaux de lumières captées par les multiples capteurs du *Tumulus*. Ses moteurs le propulsaient à une vitesse vertigineuse. Zélie installa à ses coéquipiers des centres de recherches correspondant à la technologie de ces invités. Ainsi, les équipes n'avaient pas à s'instruire d'une nouvelle façon de faire.

Lavra et Rasamosa étaient heureux de besogner à l'intérieur de l'astronef. Ils pensaient même à se lier pour la vie. Lavra n'avait pas perdu son habitude de dévorer des livres. Il adorait lire pour son amour. Écoute Rasamosa : « L'espace est lié au contenu. Il dépend aussi du temps. Il devient dès lors, espace-temps. Le temps, lui, est éternel. Les champs tensoriels peuvent fournir un grand nombre de paramètres. Nous sommes aptes à dire que l'univers voyage dans le temps ».

*
* *

Zélie cherchait des particules sans masses, cette particularité leur permettait de voyager à la vitesse de la lumière, certaines la dépassaient. Les photons, gluons et les neutrinos étaient des corpuscules, difficile à détecter. À la limite de la galaxie, existait un regroupement d'énergie sombre. Les savants de plusieurs planètes de *L'U. A. B.* savaient qu'à l'intérieur de cette zone existait des neutrinos, des photons, et des gluons. Ils se déplaçaient sans règles vérifiables. Un troupeau de naines blanches, bleues, beiges et grises occupait une grande partie de la synergie sombre. Ce milieu abritait souvent des vaisseaux pirates ou des énergies intelligentes mal intentionnées. La frontière de la galaxie était proche. Un gaz gris à proximité du *Tumulus* montrait ses énormes tentacules. Zélie pointa ses antennes paraboliques afin de découvrir la composition de la forme.

Régulièrement, Zélie organisait des réunions. Ils permettaient aux équipes de démontrer des expériences et de discuter des résultats collectivement. Rasamosa travaillait en compagnie de Lavra et du Grand Timonier. Ils réussirent à enregistrer des neutrinos à l'intérieur d'un des tentacules. Ils en parlèrent durant l'assemblée. Rasamosa prit la parole. « Notre équipe a découvert à l'intérieur d'un des bras, des neutrinos. Nous sommes en présence d'un réservoir énorme, une pareille puissance d'énergie. » Zélie coupa la parole à Rasamosa. « Vous avez raison Rasamosa. Il est envisageable en effet qu'une civilisation puisse s'en servir. Je vous pose une question à tous. Avez-vous observé que la région immédiate du *Tumulus* est proche de l'énergie sombre ? Ce phénomène vous affecte-t-il ? Rasamosa et moi avons un poids sur les épaules. Nous ne savons pas pourquoi. La région en est-elle la réponse ? » « Naturellement, nous ne pouvons pas prouver une impression. Par contre, nous pouvons en tenir compte », disait Lavra à l'assemblée. « Et vous, Louka, Sanin, et le Grand Timonier, avez-vous une opinion ? », leur demanda Zélie. Louka prit la parole. « Non, nous ne ressentons pas de lourdeur, par contre, le Grand Timonier et moi ne comprenons pas votre position, Zélie. Vous êtes toujours notre Commandeur. Nous sommes encore sous le choc. Vous devez comprendre notre réaction, nous n'avons pas détecté de force, autre que celle découverte par le Saurazien et Rasamosa. »

Zélie parla : « Pendant des millénaires, l'homme a bâti sa relation aux planètes sur une description et sur une interprétation de leur mouvement apparent dans le ciel par rapport aux étoiles. Les planètes servirent d'abord de calendrier, d'horloges et de boussoles, car nos ancêtres ont très tôt établi des relations entre cycles baltuséens et planétaires. Les planètes sont des entités personnifiées qui transcendent l'existence humaine et sur lesquelles l'être projette ses aspirations, ses espoirs, ses peurs et ses rêves. Je vous dis cela afin de vous inviter à réfléchir sur l'importance psychologique de ressentir une force qui peut tout créer. Ne croyez-vous pas qu'il serait temps de saisir une réalité que vous avez en vous, depuis des millions d'années ? Je ne suis pas une planète, encore moins un Dieu. Le but de chaque vie, qu'elle soit ercoléenne, baltuséenne ou saurazienne est le même, mettre au monde son vrai soi. Nous devons sortir d'un sommeil généralisé sur plusieurs planètes découvertes, portant l'existence. Ceci dit, venons-en, si vous le voulez, à nos préoccupations. Le voyage que j'ai réalisé pour me rendre à la station *Rose 6*, m'a permis de croiser un vaisseau spatial étrange. Il possédait une arme très puissante. Le propriétaire du bâtiment activa ses canons. Ils faisaient le tour d'un astronef qui ressemblait au *Tumulus*. Je le suivais à bonne distance, il ne semblait pas s'apercevoir de ma présence. Les rayons d'énergie projetés bouleversèrent l'atmosphère d'une géante gazeuse. Je ressentis une vibration épouvantable, j'ai dû changer de cap à grande vitesse. Les naines peuvent aussi nous réserver des surprises. Il s'agit d'une région très peu visitée. Elle cache beaucoup de légendes, des histoires fausses et des cauchemars réels. Continuez vos recherches, les naines sont des questions. Et vous, les Baltuséens, j'espère avoir répondu correctement à votre questionnement », leur dit Zélie. Louka, Sanin et le Grand Timonier discutaient souvent de l'idée qu'il leur exprima. De là à vivre avec cette nouvelle certitude, il y avait un espace à combler. Ils se motivaient à réussir le défi.

Zélie connaissait très bien la zone des naines. La construction de son bâtiment avait eu lieu entre deux naines blanches et bleues. Elles avaient permis aux spécialistes baltuséens d'aspirer des éléments du centre des petits astres. Ils serviraient à l'alliage des murs intérieurs du *Tumulus*. Zélie savait que les possibilités de cueillir la source de la force violente, à l'intérieur des naines, était presque nulle. Contrairement à ses collègues, l'homme machine dirigeait maintenant ses capteurs et ses antennes paraboliques en direction d'une planète flottante. Elle n'orbitait pas autour d'un soleil, ou d'un astre ayant la force d'attraction nécessaire pour retenir une lune. Le *Tumulus* se satellisa près des naines blanches, bleues, beiges et grises. Le nouveau trajet permettrait aux équipes de poursuivre les fouilles concernant les naines. Zélie avait ainsi l'univers ouvert sur ses instruments de service. Il observait la planète flottante grâce à des appareils à l'usage exclusif du maître à bord.

*

* *

Rasamosa s'installa sur une des chaises confortables de la pièce de réunion où se rassemblait les groupes de scientifiques régulièrement. Cette fois-ci, elle se passera de la présence de Zélie, c'était l'idée de Rasamosa. « Messieurs, nous devrions envisager que nous ne sommes pas au bon endroit. Je crois à la technologie que nous utilisons, je suis amenée à croire que nos outils ne sont pas capables de détecter l'énergie coupable. Soit elle est là devant nous, soit elle n'y est pas. Dans les deux cas, nous n'avons pas réussi. Je vous propose un peu de repos. Je suis sûre que Zélie ne s'y opposera pas. Nous sommes épuisés de besogner sans résultats. Qu'en pensez-vous ? » Sans hésitation, les Baltuséens répondirent que Rasamosa avait raison. « Je vous remercie de nous suggérer un congé. Le Grand Timonier, Louka et moi, nous aimerions continuer à réfléchir sur notre chef Zélie. Vous savez, notre monde vient de s'écrouler. Nous essayons toujours de comprendre pourquoi notre Commandeur n'est plus notre lumière. Votre demande est, de toute évidence, importante pour nous », lui dit Sanin. « Très bien, je vais immédiatement en parler à Zélie », répondit Rasamosa. Zélie travaillait sans ressentir d'épuisement. Ses neurones synthétiques ne connaissaient pas de périodes de sommeil. Le *Tumulus* protégeait son contenu sans faille. Zélie explorait une planète flottante. Il découvrit qu'elle possédait une biosphère, la surprise fut grande. Une planète sans orbite pouvait-elle avoir une atmosphère ? Zélie vérifia ses données, elles confirmaient ses résultats. Avait-il trouvé une clef ? En examinant de plus près l'astre flottant, une petite lune apparut sur un de ces écrans. Sa présence dans l'univers confirmait que tout était latent. Il suffirait d'éloigner la peur afin d'appréhender et de voir un horizon nouveau.

Rasamosa demanda à Zélie la permission de prendre une semaine de repos. Profitez-en Rasamosa et toute les équipes. Je vais avoir besoin de gens en forme, l'aventure que nous expérimenterons vous demandera d'être concentré sur ce que vous ferez. Je vous souhaite de refaire le plein d'énergie vital. Moi, je vais poursuivre afin de découvrir une réalité éventuelle.

CHAPITRE QUATRIÈME

AZMODÉ

Azmodé regardait par la fenêtre de son poste de pilotage. Il se disait : « Je ne suis plus un humain depuis deux cent nunses[6]. À vingt nunses, j'étais malheureux, j'avais une douleur de vivre horrible. Elle m'assaillit. La créature m'a laissé entre la vie et la mort. Elle m'a dit : "Je peux te donner une existence éternelle, des plaisirs inconnus des mortels." Et si l'empire des morts n'existait pas ? J'ai connu l'orgasme en déchiquetant un enfant. Je suis Azmodé, je ne vieillis plus. Je suis à jamais lié avec la haine. » Azmodé pouvait pleurer deux fois par nunse. Près de sa fenêtre, l'odeur de la mort, il la connaissait bien. Elles avaient invariablement tenu les premiers rangs, grandes et fortes, les Ursiennes étaient partout et tout autour. Elles ordonnèrent sans le moindre remord la destruction d'Ursie. C'était un génocide. Les Ursiennes exterminaient les Ursiens. Azmodé n'avait plus peur de la peur, il représentait le dernier Ursien vivant.

Le conflit entre les hommes et les femmes d'Ursie semblait n'avoir jamais eu de début. La croisade des femmes contre les hommes dégénéra très vite. L'efficacité des bombes ursiennes finirent par détruire des agglomérations, des bases militaires, des complexes scientifiques et des centres de décisions. La planète souffrait. Ses habitants créèrent une situation dangereuse pour l'orbite d'Ursie. C'est ce qui arriva : trois bombes explosèrent, la planète ne parvenait plus à supporter la puissance des engins explosifs. Ursie se désancra de son orbite pour devenir une planète flottante.

Des Ursiennes réussirent à partir juste avant la fin de leur monde. Azmodé, abandonna sa planète en jurant, sa colère aurait des conséquences sur les êtres vivants de l'univers. Ursie n'avait plus rien d'une planète digne de ce nom, elle flottait sans destination.

---

[6] Nunse : l'équivalent d'une année terrienne.

Azmodé pilotait un astronef maîtrisant le changement de son aspect. Le *Faufaix* possédait une technologie très évoluée. Azmodé pensait à une région ou une planète, il s'y trouvait aussitôt. Son vaisseau lui permettait de ne pas faire d'escales afin de remplir ses entrepôts. Il orbitait maintenant sous la forme d'une lune autour d'Ursie. Le *Faufaix* maîtrisait une arme dite, d'anéantissement. Ses canons pulvérisaient sans difficultés une planète. Azmodé examinait l'atmosphère d'Ursie. Il se disait : « Je vais les trouver. J'ai détruit des planètes, elles avaient la possibilité d'être habitées par mes ennemis. Lorsque je me doute de leur présence, je tire et je vérifie après, c'est ma loi. Je défie tous ceux qui veulent me contrarier. » Azmodé regardait toujours par la fenêtre de son poste de pilotage. L'atmosphère d'Ursie était encore vivante, mais moribonde. La planète tournait sur elle-même. Les yeux noirs d'Azmodé voyaient tout en noir et blanc.

Le physique ursien, possédait des jambes courtes, comparé au reste de leur corps, un torse de gros muscles donnait à leur tête, l'illusion qu'elle était petite. Les mâles ne portaient pas de vêtements. Une épaisse cuirasse faisait office de linge. Leur visage était bien proportionné. Les femmes cachaient leur figure en portant un masque dès leur adolescence. Elles avaient un corps sans cuirasse. Les Ursiennes devaient dissimuler une région de leur physique avec un tissu attaché à la taille. La ressemblance avec les Ercoléens concernait la longévité de leur espérance de vie. Le groupe d'Ursiennes survivantes décidèrent de chercher une planète leur permettant un nouveau départ. Elles essayèrent de fonder une nouvelle société sur Ursie. Les hommes s'y objectèrent en bloc. La crainte d'Azmodé les motivait à s'éloigner rapidement de la planète natale. Les dix vaisseaux spatiaux utilisés par les rescapés étaient de première génération. Ils voyageaient moins rapidement que le *Faufaix*. Malgré ce handicap, ils permettraient à leur équipage de se rendre à plusieurs années-lumière du lieu d'origine.

Le *Faufaix* orbitait autour d'Ursie. Lorsque Azmodé revenait voir sa planète, c'était parce qu'il voulait se reposer. Son bâtiment lui permettait des divertissements originaux. Entre autres, une salle de cinéma projetait des images en plusieurs dimensions.

Elles lui allouaient une situation fantasmagorique. À la demande de l'ordinateur dominant, Azmodé obtenait un paysage ou des personnages invraisemblables et engendrait des armes effrayantes. Le scénario était susceptible de faire vivre au héros un intervalle de jouissance. Ces moments d'extases n'arrivaient que rarement. Lorsqu'Azmodé revenait dans le réel, il ne se rappelait plus les combats et les plaisirs vécus. Il devait coexister avec une dépression profonde, pendant une période indéterminée. Elle lui paraissait sans fin, c'est pourquoi, il ne prenait pas l'habitude de ces croisières imaginaires.

*
* *

Azmodé était installé sur son trône, il aimait bien se pontifier. Il fixait un des tableaux d'affichages du centre de contrôle de son vaisseau, il lui montrait des informations susceptibles de rétablir sa raison de vivre. Le *Faufaix* quitta son orbite. Azmodé était épié par un vaisseau spatial.

Zélie examinait la planète flottante. Le chef découvrit que l'astre en orbite autour de la planète irrésolu n'existait plus. Une conclusion s'imposait, il s'agissait d'un bâtiment spatial. Zélie voulait savoir à tout prix où se dirigeait le bâtiment. Le *Tumulus* gravitait toujours, près de la zone des naines et de l'énergie sombre, Zélie convoqua les membres de son arroi. « Bonjour à tous, j'espère que votre période de délassement a été gratifiante. Vous le savez sans doute, je n'ai pas besoin de phase d'inaction. Durant votre absence, j'ai repéré une planète dépourvue d'orbite. Plus étrange encore, un petit astre se déplaçait autour. J'observais sans arrêt la planète flottante et sa lune, quand soudain, le rocher quitta son orbite. J'ai déjà observé un astronef se déplacer aussi vite. C'était comme s'il disparaissait devant moi. Nous devons le retrouver, j'ai pris des dispositions. Nous sommes en route afin de détecter des résidus bioénergétiques, calorifiques et caloriques, causé par son passage. Je vous demande de travailler avec minutie. » Louka insista pour ne pas partir avec le groupe. Il voulait continuer à travailler sur les naines. « Zélie, je n'ai pas terminé mon étude sur les naines. Je reste convaincu qu'elles peuvent être la réponse. Vous ne pouvez pas partir », insista-t-il. « Louka, et vous tous, vous m'avez choisi comme votre chef. Vous me devez donc la fidélité. Je vous propose de revenir ici, si notre enquête ne donne pas de fruits. Qu'en dites-vous Louka ? », lui demanda Zélie. « Je dois me plier à la volonté du groupe. Je ne vous cacherai pas que j'ai du mal à vivre avec les lois de la démocratie », répliqua Louka avec de la colère dans la voix. « Je vous comprends plus que vous ne le croyez. J'ai décidé d'appareiller, je suis sûr que nous ne trouverons rien dans la région des naines et de l'énergie sombre. Croyez-moi, Louka, nous nous créerons des occasions, en filant immédiatement vers un résultat. Je vous le promets à tous. » Zélie parlait avec intensité, sa voix paralysa les membres de son arroi. Louka ne savait plus quoi dire. Zélie respirait la hardiesse, il fut applaudi chaleureusement. Chacun partit rejoindre leur poste. Les confrères accompliraient une tâche primordiale pour l'avenir de leur enquête.

Les dix vaisseaux ursiens avançaient à l'intérieur d'un espace inconnu. Ils devaient continuellement tester, surveiller et se parler. L'équipage des dix astronefs explorait des nuages, des étoiles et des gaz ionisés. La vérification de la présence toujours possible du *Faufaix* se faisait régulièrement. Les Ursiennes s'ennuyaient de leur planète. Les causes de la boucherie sur Ursie, imprima sur leur mental une tache indélébile. Les hommes ne voulaient aucun changement. Les Ursiens tenaient le pouvoir politique depuis des centaines de nunses. Les Ursiennes essayèrent par tous les moyens de se faire entendre pacifiquement. Les générations se passèrent sans aboutissements. Il en résulta une guerre civile sans précédent. Les femmes étaient trop accablées, elles finirent par ne plus savoir au juste ce qu'elles devaient inventer. L'adrénaline était au plus haut niveau, la construction de grenades et l'achat d'armes de gros calibre, s'amorcèrent. Certaines étudiaient la confection de bombes. Régulièrement, des groupes de soldates faisaient des descentes dans les bars. Elles tuaient tous les mâles. Des guerrières s'immolèrent devant des édifices publics. Les Ursiens ne prenaient toujours pas la situation au sérieux. Elles n'en revenaient pas.

Que devraient-elles faire afin de réveiller les Ursiens ? Malgré une planète régie par un mouvement politique et une technologie à rendre jaloux des milliards de civilisations. Ursie représentait des mâles qui devinrent des criminels heureux de s'assassiner entre eux. Les femmes ursiennes combattaient les membres d'un empire transformés en barbares. Les deux sexes conduisirent une civilisation à sa fin.

Azmodé dirigeait les combattants ursiens. Il criait ses ordres avec fermeté et parfois, des menaces suivaient. « Je veux voir une des responsables avant la fin de votre quart. Sinon, vous allez regretter d'être encore de ce monde. » Elles sont devenues des fanatiques, en dépit des négociations que nous avons organisées. En dernier, elles ne se présentaient plus aux réunions. « Je veux des résultats Messieurs ! » Les guerrières ursiennes réussirent à construire leur première bombe, elle détruisit une agglomération dominante. Elles préparaient clandestinement leur départ d'Ursie, la situation était sans lendemain. Ursie disparaîtrait en tuant des milliers d'hommes et de femmes anonymes. Les Ursiennes abandonnèrent une planète en perdition.

Régulièrement, les Ursiennes transmettaient un message, il devait être capté par un astre habité, par une existence qui saurait leur octroyer une chance de reprendre une vie paralysée. Le message disait : « Nous sommes devenues des femmes solidaires. Par la force des choses, nous avons dû quitter notre planète mère. Nous sommes un groupe de dix vaisseaux spatiaux. Notre planète s'appelait Ursie. Si vous la connaissez, vous devez savoir qu'elle n'existe probablement plus. Nous avons eu juste le temps de partir. Notre espérance de vie à l'intérieur de nos bâtiments est de un nunse. Cette communication est transmise sur toutes les ondes et fréquences dont nous savons les caractéristiques. Nous tablons sur un écho positif. »

Au même instant, Azmodé métamorphosa la coque de son astronef en vaisseau baltuséen. Azmodé tournait autour du *Tumulus* à bonne distance. Il ne voulait pas se présenter. L'Ursien décamperait dès les premières réactions de Zélie. Azmodé adorait vérifier le potentiel de son ennemi à se défendre. « Zélie, nous avons un vaisseau baltuséen sur nos écrans, il tourne autour du *Tumulus*. Il ne répond pas à nos demandes, il semble nous observer », lui dit Louka. Azmodé était déçu, l'adversaire ne répondait pas à son silence, croyant que l'astronef antagoniste aurait montré son armement, Azmodé décida de provoquer une situation dangereuse. Il fonça sur l'astronef de Zélie. Zélie donna des ordres afin de déplacer son bâtiment. « Je suis persuadé que le rocher orbitant autour de la planète flottante est un ennemi. Messieurs Dames, le vaisseau baltuséen ne répond pas à nos demandes d'identification. Ne tenez pas compte de son apparence, faites-moi confiance. »

Le bâtiment d'Azmodé passa très près du *Tumulus* à grande vitesse pour disparaître dans le noir de l'espace. Azmodé se disait : « Sont-ils normaux ? J'aurais dû les détruire immédiatement. Décidemment, ils sont bizarres. » Un son sortit Azmodé de ses pensées. Ses panneaux de commande affichaient des couleurs n'exprimant pas de bonnes nouvelles. En vérifiant les sites capitaux de sa console, Azmodé réalisa que le *Faufaix* était suivi. Zélie suivait aux instruments le bâtiment ursien. Sa quête afin de trouver le ou les responsables de la destruction de Sauraze et Baltus, était peut-être dans ses derniers moments. Zélie voulait savoir qui pilotait un astronef aussi évolué ?

*
* *

« Regarde les Baltuséens, la perte de leurs proches ne les affectait pas. Leur but, c'était de combattre, de vaincre et de posséder. À l'époque, ils ne pouvaient pas comprendre d'autres façons d'exister », disait Lavra à Rasamosa. Lavra parlait en jouant dans les cheveux de sa bien-aimée. « Lavra, l'adversaire que nous devrons affronter, j'ai une douleur physique juste à y penser. Mon chéri, la peur est une des plus importantes émotions, la contrôler n'est pas chose facile. Nous avons des arguments pour nous défendre, que l'on gagne ou non, nous pourrons dire que nous étions du bon côté des choses ». Lavra et Rasamosa s'embrassèrent.

La poursuite du *Faufaix* demeurait déterminée, un silence inquiétant régnait à l'intérieur du *Tumulus*. L'équipage attendait un alignement de réactions, elles provoqueraient un réflexe de la part de Zélie. Azmodé passa à l'action. « Salut à tous, je me présente, je suis Azmodé. Vous apprendrez à me connaître. Comme je vous parle, je vous annonce que c'est moi qui vous suis maintenant. Si je le voulais, vous seriez déjà en compagnie de votre Dieu, si vous croyez en quelque chose. Préparez-vous, les négociations seront difficiles. » Zélie prit la parole. « C'est très bien mon ami, vous parlez de négociation. Savez-vous ce que cela veut dire ? Vous montrez une confiance dangereuse. S'encenser peut démontrer une absence de personnalité. » « Vous parlez bien, Monsieur, je n'ai pas comme habitude de perdre mon temps lorsque ma décision est prise. Je vous offre une chance de vivre un peu plus longtemps. Donne-moi ton vaisseau et ton équipage. Si ce n'est pas trop te demander, petit génie », lui répliqua Azmodé. « Je constate que vous ne savez pas rire. Je devrais donc, donner l'ordre de détruire votre bâtiment », lui dit Zélie avec colère. Zélie ferma la communication afin d'activer dans la seconde un nuage de gaz enrobant le *Tumulus*, la vapeur orange cacha le bâtiment de Zélie. Il se déplaça rapidement en se dirigeant vers le *Faufaix*. Zélie activa ses torpilles. Elles passèrent dans le vide. Le vaisseau d'Azmodé adopta une position le protégeant des projectiles. Les deux astronefs s'éloignèrent. Zélie était satisfait. Le premier contact lui permit de parler avec son adversaire. Azmodé conclut que la bataille serait motivante. Il adorait se retrouver dans une situation de guerre. Il devra faire preuve de créativité. Zélie pariait sur le manque d'imagination de son adversaire. Azmodé demeurait en état d'alerte en dissimulant son vaisseau à l'intérieur d'une zone de planètes naines. Azmodé comptait sur un élément de surprise.

Le chef du *Tumulus* parlait à son équipage. « Nous avons comme rival un militaire mercenaire. C'est l'homme qui a abdiqué son âme et sa vie intérieure et l'a enfermée dans son écran trois dimensions. Il pense que l'homme est le seul être vivant et intelligent sur toutes les planètes habitées. Il peut donc se permettre d'exploiter et d'asservir à volonté tous les règnes d'existences pour ses propres besoins. Cette humanité ne voit pas que sans les pierres qui la porte, sans les plantes qui lui apportent la vitalité et sans les animaux qui éveillent sa sensibilité d'âme, elle n'est rien et n'existerait même pas. Ce type d'homme pense réellement qu'il est indépendant et qu'il peut vivre sans la nature. C'est un fou qui se croit savant. Pour lui, seul son corps et ses besoins existent et sont dignes d'attention. Il ne pense même pas que les planètes tournent autour d'un soleil. Il est certain que le soleil tourne autour de lui et pour lui. Nous avons un réel problème. Il ne faut pas lui accorder de faveur. Nous lui rendrons service en l'éliminant. Nous allons adopter une orbite autour de la zone des naines. Il est plus que probable qu'il s'agisse de notre assassin de planètes peuplées d'existences. Au boulot, une tâche importante nous attend ! »

Azmodé détecta l'astronef en orbite, il décida d'attendre. Les membres du vaisseau venaient de quelle planète ? Azmodé voulait savoir. Pour la première fois, il se demandait qui habitait un objectif à détruire. Pourquoi se la posait-il ? Il suffirait d'attendre le bon moment.

Les Ursiennes enlevèrent leur masque. La peau de leur visage était fabuleuse. Elle était protégée des intempéries par une épaisse étoffe. Depuis trop longtemps, les Ursiennes devaient porter, pour des raisons religieuses, un poids sur leur figure. Elles touchaient leur visage avec leurs mains. Elles applaudissaient la nudité de leur faciès, et le contact établi avec le reste de la vie. De filles, elles deviendraient des dames.

Les Ursiennes voguaient en explorant la plus infime possibilité de trouver une planète accueillante. Les dix astronefs faisaient leur boulot. Des rencontres moins intéressantes les obligèrent à se défendre. Quand c'était facile, elles préféraient changer de cap afin d'éviter une situation dangereuse. Parfois, elles désespéraient, l'espace étant sans limite, les Ursiennes ne recevaient pas de réponse à leurs messages. Elles conçurent des activités, des occasions d'oublier leur situation. La motivation de surmonter les difficultés enlevait la possibilité de renoncer.

CHAPITRE CINQUIÈME

L'ALPHA

Azmodé commençait à tourner en rond. L'inactivité lui donnait des crampes. « Que font-ils ? Que pensent-ils ? Ils sont toujours en orbite et ils savent sûrement, maintenant, où je suis. Je veux accomplir ma destinée et détruire jusqu'à la dernière Ursienne. Après, je pourrai me reposer, ou me tuer, quelle importance ! Ma présence ici ne veut dire qu'une chose : je serais victorieux. Tous, vous êtes mes ennemis. Je survis car je bois l'essence de l'existence des autres. » Azmodé sentit qu'une rage inhumaine prenait possession de son corps. Son physique s'effondra en entrant à l'intérieur d'un monde d'horreur. Les flammes l'entouraient en brûlant la surface de sa peau, en laissant ses nerfs intacts afin qu'il ressente la douleur le pénétrer le plus longtemps possible. Des visions de monstres désarticulés s'attaquaient à l'Ursien. Il les combattait rageusement, une voix venant de nulle part parla : « Azmodé, c'est la voix de l'empire des morts qui te parle. Ta vie n'est pas finie, tu peux encore faire le mal. Va-t'en d'ici immédiatement. » Un cimeterre apparut au-dessus de lui, aussitôt, il lui transperça le cœur. Azmodé aboya de douleur, ce qui le réveilla de son rêve.

Zélie demanda à Lavra, Rasamosa, Dagmar, Louka, Sanin et le Grand Timonier de répondre à son invitation. Il leur dit : « Messieurs Dames, il faut savoir si notre adversaire est celui que nous soupçonnons. Nous allons adopter une orbite éloignée, elle nous permettra de réagir lorsqu'il décidera de sortir de sa retraite. La région des naines déborde des couleurs les plus flamboyantes. L'éclat d'un panorama s'avère souvent un piège meurtrier. La beauté peut être aussi des appels pour un séjour céleste. Attendons, il se montrera et communiquera avec nous, j'en suis sûr. Vérifiez si nos armes sont au point, au cas où nous en aurions besoin. Soyez aux aguets, reprenez vos postes. Il faut prendre le temps ».

Azmodé pensait rarement aux moments passés sur Ursie. Il était un enfant agréable. Ses parents le prenaient toujours en exemple lorsque ses frères et sœurs s'amusaient à déranger les voisins. La vie sur Ursie était à l'époque loin des bains de sang. Azmodé passa son adolescence à apprendre, il lisait beaucoup, tout en s'apercevant que son monde se montrait souvent sévère envers les femmes. Elles devaient besogner plus que les Ursiens. Azmodé ne comprenait pas que cet agissement faisait partie de la culture d'Ursie. Un peu plus tard, il dut se plier à un entraînement militaire despotique. On lui disait que l'homme devait se battre, il devait tuer sans demander pourquoi. Azmodé se montra très docile à se soumettre aux ordres de ses pères. Si bien qu'un jour ou une nuit, de gentilhomme, il devint un tueur aguerri. Azmodé ne souriait plus, la première fois qu'il vécut des sentiments amoureux, il viola la femme aimée.

Azmodé était un solitaire. Avant de se rendre à ses cours de tir, il marchait longtemps sur la plage de son enfance. La maison où il grandit était située face à la mer. L'Ursien s'arrêta devant le domicile affectionné. Azmodé se rappelait sa famille amputée de ses parents. Ils revendiquaient le respect des femmes. Un matin, Azmodé, ses frères et ses sœurs furent levés brutalement de leur lit. Des hommes en uniformes sortirent ses parents sauvagement, dans la cour de la maison familiale. Les enfants se pétrifièrent, après un bruit affreux leur parent était étendu sur le sol. Une mare de sang finit par entourer les corps sans vie. La sœur aînée criait en courant vers les cadavres, Azmodé essayait de retenir ses frères et sœurs plus jeunes. Il ne pleurait pas. Azmodé ne croyait pas en la situation. En s'approchant des cadavres, il fixait le visage de sa mère. Elle avait les yeux ouverts. Depuis ces événements, la demeure demeura déserte. La sœur aînée se retrouva dans un asile, ses frères et sœurs furent remis à des familles. Ils voulaient s'occuper des enfants de parents ingrats. Azmodé était seul, il finit par rejoindre ses camarades militaires afin de continuer avec zèle son endoctrinement.

Le *Tumulus* orbitait sur une altitude plus éloignée. L'Ursien mit fin à sa rêverie, il était temps de passer à l'action. Sans vraiment y penser, il eut l'idée de rejoindre l'orbite du *Tumulus*. Azmodé attendit le passage du vaisseau, encore un peu, il se mit en orbite juste en arrière de l'astronef à anéantir. « Bonjour Messieurs, me revoici. Je suis à votre disposition », disait Azmodé à l'équipage du *Tumulus*. Au même moment, le vaisseau d'Azmodé reçut un mitraillage de projectiles, ils explosèrent en touchant la carlingue du *Faufaix*. Azmodé dû s'accrocher à son siège de Commandant. Le temps de le dire, il ne vit plus le *Tumulus*. « Quoi, vous pensez me faire peur ? Mon bâtiment est capable d'en prendre encore. Vous êtes déjà parti, je vais vous donner une idée de la puissance du *Faufaix*. » Il transforma son vaisseau en rocher géant. Seuls les canons dépassaient de la nouvelle carrosserie. Azmodé visa la lune de la planète la plus proche et tira. Des milliers de rochers étaient maintenant en orbite. Les spectateurs du *Tumulus* eurent une démonstration éloquente. La perte de la lune causa d'atroces déséquilibres sur la surface de la planète. « Allons, montrez-vous, je suis le responsable de la destruction de Sauraze et Baltus. Ma rage est totale, les Ursiennes doivent disparaître, c'est là ma seule motivation. Je suis le dernier Ursien mâle vivant. Mon nom est Azmodé », il hurlait de vengeance et de fureur. « Azmodé, il n'y a pas d'Ursiennes à bord du *Tumulus* », répondit Zélie. « Nous ne sommes pas des militaires et ne recherchons pas la violence. Malgré ce que vous dites, nous sommes toujours disponibles afin de discourir. »

Azmodé cherchait activement l'endroit où stationnait le *Tumulus*. L'Ursien ne croyait pas à la possibilité qu'il soit parti. Son vaisseau était un peu ébranlé par l'offensive de son adversaire. Azmodé rajusta des appareils secondaires de son bâtiment. « En ce qui concerne Sauraze et Baltus, pouvez-vous me dire si vous êtes les espèces qui habitaient ces planètes ? », demanda Azmodé. « Oui, nous le sommes. Nous représentons ceux que vous avez anéantis. Malgré ce fait, nous sommes toujours intéressés à éviter la démesure. Nous continuerons à vous inviter, nous ne tirerons plus sur votre vaisseau. » « Mes amis, où vous cachez-vous ? », se disait Azmodé. L'Ursien pensait ces mots en riant avec agressivité, Azmodé ne pouvait pas faire semblant. Il voulait les anéantir. Des Ursiennes se dissimulaient dans leur vaisseau. Il en était persuadé.

Lavra et Rasamosa tentèrent de persuader Zélie qu'il avait comme ennemi un être qui ne jurait que par la cruauté, il n'avait jamais connu autre chose que la destruction. « Zélie, Azmodé n'a pas peur de mourir, il faut le suivre et le vaincre. Nous sommes convaincus que c'est la seule chose à faire. »

Le *Tumulus* n'était plus en orbite. L'astronef s'était éloigné du bâtiment capable de changer son apparence à volonté. Zélie trouva un endroit difficile à déceler. La matière sombre constituait un environnement de particules subatomiques. Elles ne réagissaient pas avec la matière neutre. Le *Tumulus* s'immobilisa à proximité d'un trou noir, sa situation était dans l'entourage immédiat de la matière sombre.

Le couple d'amoureux disposa d'un peu de temps afin de s'enlacer. « Lavra, notre amour ne devrait pas être secret », lui dit Rasamosa. « Il n'est pas secret, la situation ne nous donne pas la chance d'être souvent ensemble. Je ne déteste pas l'idée d'avoir une vie secrète, lorsque nous sommes coude à coude, il me semble que nous vivons plus intensivement nos ébats. » « Lavra, nous devrons tuer un homme pervers. Tu as raison, c'est la seule façon de régler le problème. Nous faisons face à un homme immoral. » « Rasamosa, ce n'est pas le moment de discuter. J'ai le goût de t'embrasser, de te faire l'amour. » Rasamosa s'étendit sur son lit et se laissa envahir par un amour partagé.

La situation commençait à énerver Louka, le Grand Timonier et Sanin. Les Baltuséens, sauf Zélie, s'impatientaient. Ils se demandaient pour quel motif Zélie ne prenait pas la décision d'attaquer un adversaire facile à détruire, selon eux. Zélie se doutait que les membres de son équipage discutaient de son raisonnement, le guide savait aussi qu'Azmodé pouvait, à tout moment, foncer sur le *Tumulus*. Le *Faufaix* s'approchait lentement de l'abri de Zélie. Savait-il où le *Tumulus* stationnait ? Voilà la question demeurant sans réponse.

Les dix vaisseaux de l'espace avançaient à grande vitesse au sein d'un univers silencieux, depuis trop longtemps. Elles n'avaient pas de destination. C'était un voyage sans retour. Elles ne savaient pas que les habitants d'une planète surveillaient leur déplacement. « Nous voulons savoir votre destination. Vous traversez présentement un espace que nous protégeons. Nous vous indiquerons comment nous procéderons. Vous avez deviné que vous n'avez pas le choix. Nous devons inspecter les dix bâtiments. Immobilisez-vous immédiatement et désactivez vos moteurs. Préparez-vous, des astronefs vont s'approcher afin d'inspecter l'extérieur et l'intérieur de vos vaisseaux. Si vous décidez de quitter nous vous poursuivrons », disait la voix détachée appartenant à un Ercoléen. « Ici la représentante des dix vaisseaux, nous venons de la planète Ursie, elle a été victime de ses occupants. Nous, les Ursiennes, en sommes une des causes. Si elle n'est pas détruite, elle est à coup sûr, devenue invivable. Nous avons décollé juste avant l'explosion colossale. Nous cherchons une planète capable de nous accueillir. Avez-vous intercepté notre message ? Nous sommes des équipages constitués de femmes. »

Les Ercoléens écoutèrent le discours de l'étrangère. Ils ne connaissaient pas la planète Ursie. La situation les déconcertait. « Si nous comprenons bien, vos vaisseaux ont des équipages de femmes. Où sont les hommes ? Nous avons en effet capté votre communication », lui dit l'Ercoléen. « Nous préférons ne pas vous en parler », lui répondit la représentante ursienne. « Nous espérons que ce fait ne nuira pas à nos négociations. Si il y en a, inutile de vous dire que nous sommes fatiguées de voyager. Les pourparlers seront sans mensonges, nous vous le garantissons. »

La planète Ercol possédait encore de très grandes surfaces, propices à l'agriculture et au développement rural. Ils pensaient aussi à une île de la grandeur d'un continent, elles pourraient contribuer à la richesse d'Ercol. « Nous procéderons à l'examen de votre demande. Merci de votre collaboration », lui dit le représentant Ercoléen. Des astronefs Ercoléens se déplaçaient non loin des bâtiments visiteurs. L'inspection des appareils inconnus fut facilité par l'aide des propriétaires. La visite s'avéra sans mauvaises surprises.

*
* *

« Nous aimerions savoir vos intentions, si nous vous donnons un espace sur notre planète », demanda un des négociateurs Ercoléens. « Nous travaillerons notre relation avec votre peuple. Nous nous plierons à vos lois. Nous garantirons le bon fonctionnement de ce que vous nous offrirez. Vous savez, la situation que nous vivons ne nous accorde que des probabilités. Découvrir une planète habitable relève d'une possibilité qui ne se revivra probablement jamais, de notre vivant. Aussi, je vous demande de nous offrir du temps sur le territoire que vous choisirez. Vous pourrez constater notre bonne foi. Sinon, nous vous certifions que nous ne résisterons pas à notre départ », répondit la représentante Ursienne. « Votre ardeur à défendre votre position, vous honore » répondit le responsable Ercoléen. « Vous êtes en tout plus de cent mille femmes. Nous, les Ercoléens prenons le temps qu'il faut afin d'arrêter une réponse sans équivoques. Nous acceptons votre présence à la réunion qui aura lieu demain. Nous allons continuer à délibérer sans votre présence. » « Merci pour tout Monsieur », lui répondit l'Ursienne.

L'Ursienne devait faire confiance à un mâle. Elle était étonnée par sa réaction, c'était comme si elle venait de s'apercevoir qu'elle parlementait avec un homme. La déléguée rejoignit ses compatriotes. « Mesdames, demain sera probablement un grand jour pour notre avenir. Ils n'ont pas insisté sur ce que nous avons vécu sur Ursie. Je vais partir sur Ercol demain, ils m'ont invitée à une assemblée singulière. Je vais tout faire pour que nous puissions nous établir ici. Mesdames préparez-vous. Il vous faudra besogner pour un aménagement ou pour un départ. »

*
* *

La salle était grande et décorée de magnifiques représentations peintes sur les murs de l'enceinte. Ils exposaient des scènes de la vie quotidienne des Ercoléens. Des femmes et des hommes représentaient la planète. L'Ursienne reconnut la voix de l'homme avec qui elle discutait, la veille. Ce fait la rassura, mais encore plus, la présence de femmes lui octroya une sécurité bienvenue. L'Ambassadeur chargé de l'affaire prit la parole. « Mesdames et

Messieurs nous sommes ici en présence d'une déléguée Ursienne. Elle nous demande la permission de vivre sur notre planète. La première question que nous vous posons est : « Êtes-vous un danger pour nous ? La deuxième que nous vous poserons est : Pourquoi dirions-nous oui ? Et enfin la troisième est : En quoi votre présence améliorerait notre peuple ? » « Pour ce qui est du danger, je crois m'être bien exprimée avec un de vos négociateurs ici présent. Nous ne représentons plus un danger parce que nous sommes des femmes qui vécurent des moments intenses de violences, causés par des hommes sans respect pour nous. Nous existons maintenant avec un seul espoir, vivre en paix. Nous certifions que nous collaborerons et surtout, nous vous donnerons ce que nous savons et que vous ne connaissez peut-être pas, sur plusieurs sujets, afin d'améliorer nos futures relations. La troisième question me permet de vous dire que si votre réponse est positive, ce sera le déclenchement d'une coopération axée sur l'avancement des sciences et la qualité de la vie. Acceptez notre proposition. Je vous jure que vous ne le regretterez pas. Merci de m'avoir écoutée. »

*
* *

L'ambassadeur Ercoléen se leva et posa ses conditions. « Madame, vous et les vôtres aurez une île continent à développer. Nous vous surveillerons pendant une période déterminée. Vous devrez nous fournir des rapports sur ce que vous réaliserez. Après, vous aurez la liberté la plus complète. Si vous signez ce document, vous pourrez emménager quand vous voudrez. » La signature de l'Ursienne s'imprima au bas d'un papier unique, concernant l'histoire de la planète Ercol.

La situation s'éternisait. Zélie balançait les forces d'attraction du trou noir. Il demandait aux moteurs du *Tumulus* un effort constant. Son arroi se questionnait. Que faisait leur chef ? De son côté, Azmodé explorait. Il ne trouvait pas de traces de son adversaire. « Pourtant, il n'est pas loin, j'en suis sûr. Mes capteurs ne me donnent pas de réponses. Serait-il dans les environs du trou noir ? »

Azmodé se parlait à voix haute. Si le vaisseau ennemi stationnait à cet endroit, il ne devait pas s'y rendre.

Au même instant, Lavra et Rasamosa était encore sous les draps du lit de l'Ercoléenne. Ils s'échangeaient des mots doux et importants pour le sentiment humain le plus merveilleux et le plus imprévisible. La passion, la ferveur et la contemplation étaient des multiplicateurs afin qu'ils s'approchent d'un bonheur authentique. Le couple ne faisait que se regarder, les yeux dans les yeux. Lavra ne le croyait pas. Un nourrisson apparaissait à l'intérieur des yeux de Rasamosa. « Es-tu enceinte ? », lui demanda Lavra, avec un grand sourire épanoui. « Oui mon amour, notre enfant sera un gage. Notre poupon révolutionnera à la grandeur de notre galaxie. Il sera un Dieu pour des trillions de vies. Lavra, tu es le père d'un *Avatar*. »

Au même moment, Zélie étudiait le trou noir. La connaissance de sa puissance lui serait utile. Il savait où se situait son adversaire. Azmodé naviguait toujours à l'intérieur et à l'extérieur des naines. Le chef du *Tumulus* amorçait un plan afin de mettre un terme à la situation. Le *Faufaix* et son pilote finiraient par trouver le *Tumulus*. Ce n'était qu'une question de minutes. Les deux astronefs ne seraient pas détruits.

Azmodé mangeait de la viande fraîche et crue, en s'aidant de ses doigts musclés. Il arrachait des morceaux sanguinolents en parlant continuellement à voix haute. « Mon ennemi ne perd rien pour attendre. Manger et boire, c'est ça le paradis. » Après un repas copieux, Azmodé dormait affalé sur le plancher de son centre des commandes. Il aimait dormir, perdre le contrôle de son corps et de son monde. C'était le seul moment où il trouvait un peu de vrai repos. Éveillé, Azmodé était en permanence en état de guerre. Le *Faufaix* reprit sa forme originale d'Ursien. Son pilote stationna l'engin de façon à observer le trou noir. Azmodé ne dormait jamais longtemps.

Zélie adopta un plan réfléchi. L'équipage devait se présenter à la salle principale de conférence du *Tumulus*. « Bonjour à tous. » Dagmar, Sanin, le Grand Timonier, Lavra, Rasamosa et Louka, écoutaient sa voix. « Vous me supportez avec zèle, depuis le début de cette aventure. Je désire vous dire que ma décision est prise. Écoutez-moi, jusqu'à la fin de mon discours. Tous, vous allez quitter mon vaisseau, le *Tumulus* cache un bâtiment, il pourra vous acheminer jusqu'à la planète naine Damien. Vous pourrez continuer à développer vos relations. Je vous demande d'accepter mon ordre sans discuter. Vous devez partir immédiatement. » Tous agirent selon l'ordre, sauf Louka, il préféra demeurer avec Zélie. Il disait : « Je suis un guerrier, ma place est près de vous, je ne suis pas un négociateur ni un scientifique. » Zélie, à la surprise du groupe, accepta. « Vous avez raison Louka. Si mon plan doit vivre des imprévus, vous serez là pour activer ma deuxième stratégie, afin d'arrêter notre ennemi. » Louka reprit son poste. L'astronef de secours du *Tumulus* s'éloigna à vive allure en choisissant un trajet difficile à déceler par le *Faufaix*.

La confirmation que son arroi était sur l'astéroïde Damien, décida Zélie à activer son astronef. Le *Tumulus* se déplaça de façon à ce qu'Azmodé puisse le détecter. Sans délai, l'Ursien activa un canal. « Bonjour Monsieur le bon, vous vous reposiez ? Si oui, vous avez bien fait. Je vous préparais justement une petite surprise. » Zélie coupa son discours. « Azmodé, moi aussi j'en ai une pour vous. Mais avant, je vais vous expliquer pourquoi il faut vous éliminer. L'arrogance est pour vous une règle à suivre, vous ne vivez pas Monsieur, vous êtes un mort vivant. Votre démonstration de violence est sans bornes, vous êtes une machine à tuer. Peu importe la raison de votre fureur, vous n'avez pas le droit d'abattre des vies innocentes. » Zélie devait détruire un être fermé au pouvoir de l'ouverture, à l'évolution de la nature humaine. La peur de vivre le guidait. La crainte de mourir l'encourageait à anéantir toutes les traces de joie, de bonheur et de plaisir chez les autres car, pour Azmodé les hommes, les enfants et les femmes, ne sont là que pour lui.

« Vous allez me suivre, Azmodé. Finalement, j'ai pensé vous laisser la vie. Suivez-moi. J'ai une expérience au-delà de toutes celles que vous avez vécues à vous faire éprouver. J'oubliais de vous dire, des Ursiennes sont à bord de mon vaisseau. » La réaction d'Azmodé fut immédiate. Un hurlement épouvantable s'échappa de la bouche du prédateur. Son astronef fonça en direction du *Tumulus*, Azmodé était dans un état second, il ne regardait plus ses panneaux de commande. Zélie le dirigeait à l'intérieur d'un trou noir. Il désactiva les moteurs de son astronef, l'étoile noire aspirait le *Tumulus* à l'intérieur d'un lieu indéfini. Zélie choisissait. Azmodé devenait une victime. Le *Faufaix* luttait afin de sortir de l'immense force attractive du trou noir. Les deux bâtiments perdirent tout leur potentiel de guerre. Ils franchirent la frontière d'une étoile morte.

De l'autre côté, les deux vaisseaux voyageaient à une vitesse vertigineuse. Le *Tumulus* et le *Faufaix* dépassaient la vitesse de la lumière. Les fuselages ondulaient, tout était flou. Azmodé, Zélie et Louka ne comprenaient plus, les neurones des trois hommes n'arrivaient pas à conserver le contact entre eux. Les deux vaisseaux finirent par ralentir leur course. Zélie reprit le contrôle de son vaisseau et examina l'état de son bâtiment, tout fonctionnait. Il vérifia la présence du *Faufaix*, il était à bonne distance et semblait en forme. Zélie essaya de contacter Azmodé. « Azmodé, ici Zélie. Si vous m'entendez, répondez-moi. Il n'y a pas de passagères Ursiennes à bord. » Azmodé n'avait pas beaucoup de voix afin d'exprimer sa colère. Le despote répondit à Zélie : « Vous pouvez crever. » Azmodé activa son rayon de la mort, sans résultat. « Je pense que vous devriez faire appel à un autre moyen de communication, Monsieur Azmodé. Décidez ce que vous voulez. Moi je pars immédiatement à l'aventure. Elle sera ma conjointe le temps qu'il faudra. » Azmodé rageait. Il demanda à Zélie pourquoi il ne l'avait pas tué. Zélie lui répondit : « Azmodé, je ne voulais pas vous enlever la vie. J'ai choisi de vous accorder le choix. Vous n'êtes plus l'homme invincible que vous croyez être. Vos armes ne vous servent plus et moi non plus. Donc je vous souhaite bonne chance, malgré vous. Adieu Monsieur. »

Zélie partit vers un horizon nouveau avec Louka. Ils prenaient le temps de savourer des paysages d'un univers débordant de somptueuses lumières célestes. Dans les prochaines décennies, Zélie et Louka découvriront de nouveaux mondes. Zélie et son aide finiront peut-être par découvrir le Boson de Higgs, le Graal des particules.

Azmodé était fatigué, son vaisseau faisait du sur place. L'angoisse possédait un corps de muscles atrophiés. Le dictateur ne savait plus quelle direction prendre. L'idée de retrouver le trou noir envahissait son cerveau. L'image d'un suicide réussi germait lentement à la hauteur de son estomac. Les probabilités de retraverser l'étoile noire s'avérèrent nulles. Azmodé s'efforçait de concentrer son mental sur ce qu'il devait résoudre. Machinalement, il se retrouva à l'intérieur de la salle de cinéma. Les projections le propulsèrent dans un lieu digne d'un homme de son rang. Il se battait comme jamais il ne l'avait fait. Le sang giclait les bras arrachés volaient dans un paysage de pluie et de tonnerre. Azmodé en profitait pour respirer l'odeur du sang frais. Et puis, une Ursienne en pleine forme se montra prête à affronter un Ursien aguerri au corps à corps. La femme invita rageusement le mâle à faire le premier pas, Azmodé s'élança tout en évitant la lame que son adversaire lui présenta à la hauteur de sa poitrine. Le combat s'avéra de force égale. La guerre n'en finissait plus. Soudain, tout s'effaça. Azmodé était devant un mur noir, plus rien, il n'avait plus besoin de respirer. Un astéroïde venait de frapper le *Faufaix*. Le bâtiment ursien était en charpie. Azmodé n'existait plus.

LA BATAILLE DE VAZNA

La surface extérieure bleue foncée de la coque accordait au *Caligrula* une invisibilité presque parfaite. Le Capitaine du vaisseau druxéen examinait avec ses grosses mains musclées et veinées, ainsi qu'avec ses grands yeux verts, une carte en trois dimensions. Elle lui faisait voir les environs de la planète Vazini. Son second, debout à sa droite, cambré comme un soldat de bois, attendait que son Capitaine lui assigne ses ordres. Un crâne sans cheveux, une barbe mal rasée et une moustache énorme, cachait des lèvres presque absentes. L'équipage appréhendait leur Capitaine avec raison. Sa voix désincarnée enlevait toutes résistances aux instructions émises par un Chef qui n'acceptait pas de se faire contrarier. Sa présence écrasait des hommes et des femmes, désabusés.

Les beautés architecturales de la planète Vazini se concentraient au sein de ses villes. Le treizième étage d'un des gratte-ciel de la mégalopole Parada abritait le centre logistique des affaires de l'univers. À l'approche du quatrième millénaire, la fédération était menacée par un spectre. Le *Caligrula* et son arsenal se dirigeait à grande vitesse sur Vazini, le centre de contrôle de la coalition. « Mesdames et Messieurs, membres dirigeants de notre fédération, nos invités, même s'ils ne le sont pas, occuperont nos militaires à temps plein », déclara Pierre Prat, le Premier Ministre. « Mais Monsieur le Premier Ministre, ce sont des sauvages, vous les connaissez, si nous les laissons s'approcher, ils vont nous tuer. » Le militaire gradé regardait Pierre Prat, les yeux exorbités, il était dépassé par la situation. Le Premier Ministre replaça sa veste bleu marin et sa cravate blanche avec son calme habituel. Il reprit la parole. « Monsieur, sauf votre respect, nous devons nous présenter. Il faut qu'ils comprennent que des solutions pacifiques peuvent régler des problèmes qui semblent sans contre-proposition. L'agressivité qui les caractérise est réparable. S'il le faut, nous utiliserons notre arme secrète. » Le Premier Ministre conclut son allocution, en disant : « Nous les surveillerons, mon Général. D'ailleurs, je compte sur votre équipe de spécialistes, pour réaliser cette tâche. »

Le maître à bord du *Caligrula* ne dormait plus. Il marchait dans les corridors de son vaisseau, celui-ci devinait son bâtiment, une symbiose était établie. La première fois qu'il ouvrit les yeux, sa mémoire lointaine lui fit voir le plafond de l'infirmerie du *Caligrula*. Plus tard, le garçon fouilla dans les archives de la bibliothèque du vaisseau druxéen, afin de découvrir sa planète d'origine. Son père l'installa à l'intérieur d'un vaisseau de secours. Ses moteurs grondèrent, le *Caligrula* s'éloigna avec les enfants et les nouveau-nés. Le futur Capitaine ne reverra jamais sa planète mère. Le jeune homme continua sa lecture. La planète Druxe devait être évacuée temporairement. Le peuple adulte se battait contre un adversaire redoutable, il partageait leur existence avec l'air respiré par ses occupants. Ce n'est que beaucoup plus tard que la vie reprit sa place sur une planète âgée de plusieurs milliards d'années. Le Druxéen ne se souvenait pas avoir porté un autre nom que Capitaine.

*
* *

Le *Caligrula* stationna près d'une des lunes de Vazini. Le vaisseau se cachait des Vaziniens. Un astronef croiseur sans pilote passa à proximité du *Caligrula*. Le croiseur était dirigé par une équipe de militaires basés sur Vazna, une des lunes de Vazini. « Je l'avais pourtant sur mon écran », disait un des techniciens. Il distingua, par moments, un bâtiment qu'il n'arrivait pas à identifier. Le Premier Ministre faisait l'impossible pour communiquer avec l'équipage du *Caligrula*. Pierre Prat ne les voulait pas comme ennemis, pas de réponses à ses essais. Le Capitaine se dit que c'était un piège : « Ils veulent nous attirer. Éloignons-nous à bonne distance. », en faisant un signe au pilote de son vaisseau. « Les Vaziniens ne sont pas sérieux, ils ne sont pas plus pacifiques que nous. Ceux-ci aimeraient nous démontrer que nous n'avons pas de raisons de les attaquer. », expliqua-t-il. Le Druxéen ne croyait pas que les Vaziniens avaient changé leur méthode de régler des situations embêtantes. Il est vrai que depuis un certain temps, les invasions de planète afin de mettre la main sur une pierre précieuse se faisaient plus rares. La technologie vazinienne leur permettait de transformer une gemme en une énergie presque sans fin. Les Vaziniens se donnaient la permission d'investir un territoire, sans demander aux occupants le droit de forer. Les représentants de Vazini volaient régulièrement des planètes ne faisant pas partie de leur fédération. Le Capitaine du *Caligrula* vivait la nuit. Les corridors de son bâtiment devenaient sans fin. Aurait-il un jour une réponse à ses secrètes questions ? Les Vaziniens visitèrent la planète Druxe, toujours pour la même raison. Sans le vouloir, ceux-ci y causèrent un terrible ravage. La planète trembla causant des dégâts sans précédent. Elle tua des milliers d'habitants. Les Vaziniens essayèrent de négocier les ruines sans résultats.

« Ils vont revenir Monsieur le Premier Ministre. Nous continuons à surveiller les positions stratégiques », lui dit le Général Deschênes. « J'ai confiance », dit Pierre Prat, en replaçant ses longs cheveux blonds. « Nous avons une arme de fin des guerres. L'armure protègera notre planète. Le *Caligrula* va revenir pour nous détruire, son équipage arrive avec leur certitude et leur rêve obsédants. Ils n'ont connu que des victoires faciles. » Le Premier Ministre donna l'ordre d'activer l'armure, avec son aplomb habituel.

Le *Caligrula* fonçait vers ses adversaires. La planète Druxe possédait une énorme quantité de la pierre chassée par les Vaziniens. Le Capitaine avait une bonne raison d'attaquer. Son bâtiment était envahi par des messages de paix, depuis plusieurs heures. Son arroi essayait d'arrêter la voix mal venue, rien n'y faisait. Le chef druxéen donna l'ordre d'armer tous les canons et rayons destructeurs, l'adrénaline prenait possession de son corps. Les officiers attendaient l'ordre d'activer toute la puissance du bâtiment druxéen. Subitement, la planète Vazini disparut de tous les écrans et capteurs du *Caligrula*. Les messages de paix devenaient paralysants, la voix irritait les oreilles des occupants du vaisseau le *Caligrula*. Le premier officier cria férocement : « Feu à volonté, donnez tout ce que nous avons, je suis sûr que la planète est encore là. »

Vazini était protégée par une armure d'énergie pure. Celle-ci enveloppait la planète en produisant une pellicule infranchissable. Les armes de destruction étaient anéanties par leur propre puissance.

Lorsque le contact se faisait avec la cuirasse, les rayons et torpilles se redirigeaient en direction de leur émission. Le Capitaine sentit une grande fatigue, elle l'attacha à son fauteuil. Les messages de paix continuaient à briser le moral de son arroi. Le *Caligrula* épuisa tout son arsenal. Ses structures étaient fortement ébranlées, le bâtiment dériva lentement. Malgré la situation, l'équipage réussit à éviter en partie, le retour des torpilles et rayons mortels lancés par eux.

Les messages de paix s'interrompirent laissant la place à la voix du Premier Ministre. « À tous et à toutes du vaisseau antagoniste, nous voulons vous informer que toute tentative de nous détruire est irréalisable. Vous avez constaté que vos armes ne servent plus. Y aurait-il une autre manière de réaliser vos ambitions ? » Le Capitaine demeura assis en écoutant difficilement Pierre Prat. Le Druxéen avait essayé de se lever, son corps lourd de plusieurs muscles puissants ne répondait plus aux ordres de son propriétaire. Il n'arrivait pas à se concentrer sur des ordonnances qu'il avait l'habitude de débiter. Le *Caligrula* n'avait plus de maître. Le bâtiment dérivait dangereusement vers une des lunes de la planète ennemie. Vazini était toujours protégée par l'énergie pure.

Un long moment de silence se poursuivit. Les membres du *Caligrula* reprenaient difficilement le contrôle d'eux-mêmes. Le bâtiment était en danger immédiat; il fallait qu'une personne active le pilote automatique. La lune était beaucoup trop proche. Le Capitaine peinait à voir ses écrans de navigation, celui-ci arriva à remettre en fonction les moteurs principaux; juste avant la collision fatale. L'activation du pilote automatique, sauva définitivement le vaisseau. Le bâtiment se propulsa vers une destination non programmée. Le chef des Druxéens prit une grande respiration, sa concentration était de nouveau présente. Il communiqua avec son équipage : « L'opération Vazini était un apprentissage, étudiez la situation, nous reviendrons les anéantir. »

« Monsieur le Premier Ministre, félicitations, nous avons réussi. Ils sont partis. Les Druxéens voulaient nous détruire, j'avais raison. », lui dit le Général. « Nous avons réussi à les éloigner, c'est une demie victoire, il faut s'attendre à revoir l'ennemi. Les Druxéens ne comprennent pas pourquoi ils n'ont pas massacré notre planète. Il faudra demeurer alerte, Messieurs Dames. » Le Premier Ministre conclut en disant : « Espérons qu'ils auront compris, ils ne peuvent pas toujours être des vainqueurs. »

Le Capitaine du *Caligrula* faisait les cents pas, dans sa solitude. Il songeait à la défaite qu'il venait de subir. « Ils ont utilisés une arme extraordinaire, vaincre sans aucun dommage en hommes et en matériaux. Il faudrait s'en emparer. » À sa grande surprise, le poids du sommeil s'éveilla dans son corps, il l'accueillit sans résistance, en s'étendant à même le plancher de son vaisseau et perdit le monde réel. Il dormait enfin, en retrouvant sa puissance.

Sur Vazini, le Premier Ministre étudiait l'histoire des Druxéens. Il lisait des sagas de meurtres et de génocides. Le Premier Ministre leva son corps d'athlète et se dirigea vers la salle des communications. Il envoya un message au chef du *Caligrula* avant qu'il ne soit trop éloigné, la missive disait : « Au chef du vaisseau le *Caligrula*, je vous respecte, vous avez pris la bonne décision. Je vous propose un combat singulier et définitif, un duel. Je connais maintenant une des raisons de votre colère nous concernant, il s'agit d'une période de notre histoire dont nous ne sommes pas fiers. Vous pouvez en être certain, nous comprenons que nous devons maintenant en subir les conséquences. C'est pourquoi, je vous propose une solution qui ne détruira pas des innocents. »

Le Capitaine n'en revenait pas, c'était la première fois qu'il recevait pareille invitation. « Un duel, je ne sais même pas ce que c'est. Comment procède-t-on ? » La curiosité envahissait un chef légèrement dépourvu. Il se mit à rire, c'était très rare chez lui. « Capitaine, un duel c'est la rencontre de deux personnes représentant des idées contraires. Je vous défie au nom de ma planète. Je vous propose de vous diriger sur une de nos lunes, nous la nommons Vazna. Nous y avons construit des bâtiments et une atmosphère artificielle. Je vous envoie les coordonnés nécessaires. Un homme meurt et des milliards de gens vivent sous la domination du vainqueur. Nous devrons nous battre jusqu'à la mort d'un d'entre nous. Qu'en pensez-vous Capitaine ? » « Monsieur le chef, j'accepte votre ultimatum. Je me rendrais sur Vazna. Je vous informerais lorsque je serais sur votre lune, à l'endroit que je choisirais. C'est ma seule demande. » « Accepté Capitaine, je suis déjà sur Vazna. Donnez-moi votre position dès que vous arriverez. »

L'atmosphère de Vazna avait été créée de toutes pièces. Elle permettait de se déplacer sur toute sa surface. Vazna occupait une orbite stratégique, ses bâtiments abritaient des laboratoires, des salles de conférences, des lieux de prières, des stades de compétitions sportives et des complexes militaires. Le Capitaine choisit l'endroit, le Premier Ministre, l'arme : deux grandes ailes minces, tranchantes et multicolores, reliées par un bâton léger et solide. Les coloris des lames se mélangeaient lorsqu'elles bougeaient. Les adversaires tenaient l'instrument de combat en saisissant le bâton reliant les deux lames avec leurs mains.

Les guerriers étaient à bonne distance, les genoux pliés, prêts à l'attaque. Ils se regardaient sans distinguer les détails de leur visage. Le Capitaine était médusé par l'arme choisie. Le Premier Ministre semblait s'amuser avec la sienne. La brise rafraîchissante donnait aux duellistes un moment propice. Ils se concentrèrent et passèrent à l'action. Le Capitaine commença à marcher, malgré une difficulté à focaliser, causée par l'arme qui devait servir à tuer. Son adversaire manipulait son arme de façon à produire des jeux de couleurs, elle devenait ainsi un miroir. Son instrument reflétait les rayons du soleil sur les yeux du Capitaine. Le Premier Ministre était un maître dans cet art. Voyant que le Capitaine avançait régulièrement vers lui, il continua à faire danser son arme, en se déplaçant à sa droite. Il voulait créer un grand cercle, le Druxéen en deviendrait le centre. Pierre Prat se déplaçait en accélérant ses pas. Le Capitaine était hypnotisé par le mélange des couleurs fabriquées par les deux armes. Le Druxéen n'en pouvait plus. Avec un cri de guerrier, il fonça sur le Premier Ministre. Son arme ne produisait plus de couleur, elle était noire, et prête à frapper avec toute la force de son dictateur. Pierre Prat se figea en attendant le Capitaine. Il s'approchait dangereusement, le Premier Ministre adopta une position de défense. Cela lui sauva la vie. Le coup porté par l'opposant lui aurait fracassé le crâne. Le Premier Ministre se déplaça rapidement en déséquilibrant son adversaire. Le Vazinien fit un trois-cent-soixante degrés sur lui-même en pliant ses genoux un peu plus, son arme frôla la jambe droite du Druxéen. En se relevant, il visa la poitrine de son rival. Son adversaire eut juste le temps de reculer, une lame découpa sa chemise. Le Capitaine aussi vite que l'éclair, revint avec le même mouvement en dépliant ses genoux. Il lacéra la peau de Pierre Prat en causant une blessure majeure au torse du Premier Ministre. La blessure le fit reculer en tombant le dos au sol Par réflexe, en demeurant allongé, il prit une position de défense. Un nouveau coup du Capitaine s'arrêta sur le bâton de l'arme du Premier Ministre. En s'aidant de ses jambes, le Vazinien réussit à repousser le Druxéen. Le chef des Vaziniens était maintenant debout devant un adversaire qui mettait toute sa puissance à essayer d'asséner un coup fatal à la poitrine du Premier Ministre. Il saignait abondamment. Le Capitaine poussait sur le bâton du Vazinien. Il respirait régulièrement, en se concentrant sur ses muscles, il arriva à déséquilibrer le Capitaine avec force. Le Druxéen se retrouva étendu sur le sol. Pierre Prat perdait beaucoup de sang. Il donna à son arme un mouvement précis, celle-ci s'arrêta à quelques centimètres de la gorge du Capitaine. « Tuez-moi, tuez-moi, je ne suis plus un guerrier. »

La blessure du Premier Ministre l'affaiblissait redoutablement, il retira son arme à double tranchant et s'éloigna de l'adversaire. Il lui dit : « Capitaine, je vous propose l'arrêt du combat, nous sommes d'égale force. Je considère que nous n'avons plus rien à prouver. » Le Premier Ministre se retourna péniblement, en marchant vers des spectateurs Vaziniens qui s'occuperont de sa blessure. Il regarda le Capitaine, il ne bougeait plus. Des Druxéens s'approchèrent de leur chef. Ils constatèrent qu'il s'était donné la mort. Un poignard caché dans ses vêtements était enfoncé dans sa poitrine, fendant son cœur.

« Messieurs, le combat est terminé, laissons le *Caligrula* partir. Les Druxéens devront se choisir un nouveau Capitaine. Resteront-ils dans leur colère ? Vivre dans le passé n'est pas souvent une bonne idée. »

TABLE DES MATIÈRES

X - LE COFFRET 9

Prologue 9

Chapitre 1 - Vingt ans plus tard 13

Chapitre 2 19

Chapitre 3 25

Chapitre 4 39

Chapitre 5 43

Chapitre 6 47

Épilogue 61

ZÉLIE 63

Chapitre Premier - Le *Fadis 3* 79

Chapitre Deuxième - La planète naine Damien 91

Chapitre Troisième - Zélie 101

Chapitre Quatrième - Azmodé 109

Chapitre Cinquième - L'Alpha 117

LA BATAILLE DE VAZNA 129

Aux Éditions Belle Feuille
68, chemin Saint-André
Saint-Jean-sur-Richelieu (Québec) J2W 2H6
Tél.: 450.348.1681
Courriel: marceldebel@videotron.ca
www.livresdebel.com

Distribué par Bayard Novalis Distribution
www.bayardcanada.com
Ginette Saindon
Tél.: 514.844.2111 poste 247
Fax: 514.278.0072
Courriel: ginette.saindon@bayardcanada.com

Distribution numérique: Agrégateur Anel-DeMarque
www.vitrine.entrepotnumerique.com/editeurs/181-les-editions-belle-feuille/publications

Titre par catégorie	Auteurs	ISBN
Autofiction		
Tout peut arriver	Roxane Laurin	978-2-923959-47-4
Nouvelles		
Lumière et vie	Marcel Debel	2-9807865-1-9
La Vie	Marcel Debel	2-9807865-0-0
Quelqu'un d'autre que soi	Micheline Benoit	2-9807865-4-3
Une femme quelque part	Micheline Benoit	2-9807865-2-7
Essais		
Univers de la conscience	Yvon Guérin	2-9807865-7-8
Les Jardins, expression de notre culture	Pierre Angers	2-9807865-3-5
Au jardin de l'amitié	Collectif	978-2-9810734-2-6
Vivre sur Terre, le prix à payer	Alexandre Berne	978-2-9811696-3-1
Romans		
Méditation extra-terrestre	Olga Anastasiadis	2-9807865-9-4
Rose Emma	Gisèle Mayrand	978-2-9810734-4-0
Les millions disparus	Bernard Côté	978-2-9811696-0-0
La Ménechme	Chantal Valois	978-2-9811696-8-6

Science-fiction

Recueil d'événements au sein de l'espace	Damien Larocque	978-2-923959-49-8

Anecdotes de vie

La magie du passé	Marcel Debel	978-2-9811696-9-3

Cas vécus

L'instinct de survie de Soleil	Gabrielle Simard	978-2-9810734-3-3
L'insomnie une lueur d'espoir	Carole Poulin	978-2-9810734-7-1
Récit d'un fumeur de cannabis	Stéphane Flibotte	978-2-9811696-4-8

Récits

L'Arnaquée	Gisèle Roberge	978-2-9811696-6-2

Recueils de fantaisie pour enfant

L'anniversaire de Marilou	Hélène Paraire	978-2-9810734-5-7
Les oreilles de Marilou	Hélène Paraire	978-2-9811696-2-4

Recueils de contes

Le Diamant inconnu Contes de l'au-delà	Pierre Barbès	978-2-9810734-6-4
L'aventure de Vent des Neiges	Sophie Bergeron	978-2-9811696-7-9

Poésie

Fantaisies en couleur	Marcel Debel	978-2-9810734-1-9
Bonheur condensé	Magda Farès	2-9807865-8-6
Arc-en-ciel d'un ange	Diane Dubois	978-2-9810734-0-2
À la cime de mes racines Un miroir sur ma tête	Mariève Maréchal	2-9807865-5-1
Voyage au centre de la pensée	Louis Rodier	978-2-9810734-8-8
Amalg'âme	Angéline Bouchard	978-2-9811691-1-7